Tout l'œuvre peint de

Georges de La Tour

Les Classiques de l'Art

Rédacteur en chef
GIANFRANCO MALAFARINA

Conseiller général
GIAN ALBERTO DELL'ACQUA

Comité consultatif
Conseiller américain:
LORENZ EITNER

Conseillers anglais:
DOUGLAS COOPER
DAVID TALBOT RICE

Conseiller espagnol:
XAVIER DE SALAS

Conseillers français:
ANDRÉ CHASTEL
JACQUES THUILLIER

Conseillers italiens:
BRUNO MOLAJOLI
CARLO L. RAGGHIANTI

Rédaction
TIZIANA FRATI
SALVATORE SALMI

Secrétariat
MARISA CINGOLANI
CARLA VIAZZOLI

Imprimerie
MARIO ARIOTTO
CARLO PRADA

Chromiste
FELICE PANZA

Coéditions étrangères
FRANCA SIRONI

Comité éditorial
HENRI FLAMMARION
ANDREA RIZZOLI
J. Y. A. NOGUER

Tout l'œuvre peint de

Georges de La Tour

Documentation et catalogue raisonné par
JACQUES THUILLIER

Nouvelle édition mise à jour

Flammarion

A la mémoire d'HENRY PREVOST
historien d'art
† Alexandrie, 9 janvier 1973

" *Er ist einer der bleibenden Boten*
" *der noch weit in die Türen der Toten*
" *Schalen mit rühmlichen Früchten hält*

(RILKE)

© 1973, Rizzoli Editore, Milano.
© *1973, 1985, Flammarion, Paris,*
pour la traduction française.
et la mise à jour.
N° d'édition 11709

Mars 1985

ISBN 2-08-010258-3

A la recherche de
Georges de La Tour

« Maître Georges de La Tour, peintre, [...] se rend odieux au peuple par la quantité de chiens qu'il nourrit, tant lévriers qu'épagneuls, comme s'il était seigneur du lieu, pousse les lièvres dans les grains, les gâte et foule [...] ». Voilà le seul jugement contemporain que nous ayons conservé sur La Tour. Où découvrir celui qui peignit le *Job* ou le *Saint Sébastien*? Les archives ont restitué plus d'une centaine de documents qui le concernent: ils fixent des repères, ils ne livrent pas une psychologie. Un enfant qui naît, une maison louée, une rente cédée, une signature le jour où le voisin marie sa fille ou emprunte quelques mesures de grain: monnaie quotidienne d'un temps où tout se fait par devant le notaire ou le curé. Mais nulle correspondance, nulle confidence d'amateur ou d'ami. Il nous faut imaginer La Tour à partir de ces quatre fâcheuses lignes.

Elles ont grandement déconcerté ses premiers admirateurs. Il ne demeura qu'un peloton d'intrépides pour voir dans le peintre des *Madeleine* une sorte de saint laïc, un mystique préoccupé du seul absolu. Et du même coup s'évanouit la dignité posthume de "peintre socialiste" que d'autres eussent volontiers conférée au fils de boulanger qui préféra Lunéville aux Cours de France et de Lorraine, au peintre du *Vielleur* qui paraissait dénoncer hautement la misère du prolétariat. On oublia de se demander quelle créance méritait la phrase, tirée d'un placet envoyé par les habitants de Lunéville au duc de Lorraine en exil pour se plaindre de l'administration du roi de France: il était séant qu'elle dénigrât un peintre visiblement protégé par le Gouverneur royal...

Reste qu'une image se dessine: non d'un artiste plongé dans la méditation, mais d'un cavalier aux bottes à revers, grand chasseur, amateur de chiens, et menant à Lunéville la vie d'un notable peu soucieux de l'opinion du vulgaire. Deux autres documents le montrent bâtonnant un sergent en 1648, et en 1650 rouant de coups un "laboureur" qui a commis des dommages dans une de ses terres: ce qui complète assez bien la figure. . On aurait facilement trouvé dans chaque bourg de Lorraine, voici moins d'un siècle encore, pareils potentats locaux, forts de leur parenté, de leurs relations et de leur fortune, et dont la canne, symbole de leur puissance, s'oubliait parfois sur les dos irrespectueux. Jalousés, critiqués, souvent à voix haute: mais dans le fond révérés et admis.

Ce n'est, il est vrai, que l'extérieur du personnage. Comment atteindre plus profond? Nul portrait peint ou gravé qui, vaille que vaille, nous instruirait du caractère. De ses amours, de son ménage, avouons que nous ne savons rien. On a cru plus facile de déchiffrer ses sentiments religieux. Il était naturel qu'on supposât au peintre de la *Nativité* l'inspiration de la foi. De proche en proche, on lui attribua la dévotion des imagiers médiévaux, on le fit même mourir tertiaire de saint François. Peut-être eût-il fallu se souvenir qu'il est fort hasardeux de conclure des œuvres à la personne, et qu'un peintre de *Madeleine* et de *Saint Joseph* n'est pas nécessairement prêt à endosser la bure...

Allons plus loin. Il apparaît qu'un peintre croyant, à l'ordinaire, illustre les vérités de sa foi: il ne poursuit pas, à travers la peinture, la découverte d'une vérité spirituelle. Un Champaigne demande son salut à l'enseignement janséniste, et non pas à son art. Or La Tour n'est pas un illustrateur. S'il traite un sujet religieux, il le recrée. De tableau en tableau il conduit une méditation personnelle qui touche aux grands problèmes de la condition humaine. Eût-il réclamé de son pinceau des certitudes de cet ordre, s'il avait profondément vécu celles de sa religion? On peut au moins en douter. Mais sans doute ne saurons-nous jamais s'il eut simplement la foi du charbonnier, ou si les voyages, les ateliers, un probable séjour via Margutta ou via del Babuino l'avaient, comme on disait, "déniaisé", et si, à l'exemple de tant d'autres, il se contenta de sauver les apparences en regardant avec ironie se multiplier autour de lui les excès de la superstition et de la violence comme ceux de la dévotion. Pour les hommes du XVII⁰ siècle, seules les confidences peuvent nous ouvrir le secret des sentiments religieux.

A défaut de décrire la psychologie, peut-on dégager quelques ressorts plus secrets? Notre temps use volontiers pour cela de méthodes vagues mais péremptoires. Laissons la psychanalyse: elle n'a jamais dit sur les artistes que des billevesées, qui pour être à la mode n'en ont pas plus de poids. Et La Tour serait pour elle le plus dangereux piège. Mais l'historien cède toujours à la tentation d'expliquer par la situation et le milieu. Un fils d'artisan qui s'élève difficilement à la société des bourgeois et des hobereaux, qui s'enferme dans Lunéville pour mieux s'intégrer à cette classe cramponnée à ses privilèges, mais dépassée par la lutte entre les monarchies et broyée par elle: voilà qui s'accorde avec la description aiguë des thèmes réalistes, la tension intérieure des nocturnes, la gravité pessimiste des derniers tableaux; voilà qui fait comprendre le refus d'ouvrir les scènes sur la nature, le repli volontaire sur soi-même, sur un univers fabriqué par soi, et pour finir sur le champ étroit, cerné de ténèbres, que dégage une pauvre chandelle. — Tout cela concorde à merveille: et peut-être même s'y trouve-t-il une part de vérité. Mais doit-on y chercher les vraies clefs de La Tour?

A beau jeu qui jongle avec ces correspondances a posteriori. Mais qui, de la situation historique de La Tour, eût osé prévoir la formule de son art, avant qu'on eût retrouvé ses tableaux? Qui se risquerait encore à désigner les limites de sa pensée, menacés que nous sommes toujours de quelque découverte qui peut en modifier le sens? — N'hésitons pas à le rappeler: deux autres artistes ont vécu dans le même milieu, Callot et Deruet. Les trois Lorrains ont sensiblement le même âge, font un apprentissage voisin, montrent des ambitions analogues; ils sont au service du même duc, se voient également appréciés de Louis XIII, traversent les mêmes vicissitudes historiques. Carrière, fortune, clientèle apparaissent aussi semblables qu'il se puisse. Or imagine-t-on des arts d'essence plus opposée? Quel point commun entre les vastes mises en scène de Claude Deruet, où s'agitent de menus personnages de comédie, la chronique incisive et volontairement détachée de Callot, et la méditation immobile de La Tour?

L'explication historique dénonce ici d'elle-même ses limites. La Tour, peintre trop longtemps oublié, et de nos jours encore entouré de trop d'ignorances, offre une marge bien étroite et périlleuse au raisonnement. Et peut-être, de toute manière, avait-il trop de génie pour ne pas y échapper. Acceptons que manque la clef de l'homme et de sa création. Adressons-nous aux œuvres elles-mêmes.

Leur chronologie reste incertaine. Deux tableaux seuls sont datés: tout le reste n'est que déductions et hypothèses. Pourtant, suggéré par les documents, précisé par les affinités de facture et d'esprit, un enchaînement se dessine de toile en toile. Il mène, à voir les choses dans l'ensemble, des tableaux diurnes aux grandes compositions nocturnes. Et des œuvres naturalistes aux plus stylisées, aux plus "cubistes", aux plus profondes aussi. Est-il permis dès maintenant de suivre ce fil encore fragile et de dégager, des débris épars de l'œuvre, un itinéraire spirituel? Qu'on nous permette ce qui est moins un commentaire qu'une hypothèse, que seules pourront vérifier — ou infirmer — de nouvelles découvertes.

La première inspiration apparaît toute réaliste. La Tour peint un vieillard, une vieille femme (*Catalogue*, n. 2-3), un aveugle jouant de la vielle (n. 6): cela, sans épargner une ride, insistant sur les yeux éraillés, le cheveu rare, une cicatrice, la frange au vêtement élimé. Le monde sacré lui-même revêt des apparences populaires: les Apôtres (n. 7-19), vieux, chauves, prennent figure de mendiants, de pèlerins, de rustres au visage buriné, et sont vêtus à la façon des contemporains, ou peu s'en faut. La leçon du Caravage, celle de la *Vocation de saint Matthieu* et de la *Mort de la Vierge*, est fidèlement appliquée.

Avec le *Vieillard* et la *Vieille femme* de San Francisco (n. 2 et 3), ce réalisme garde, au moins d'apparence, une tranquillité objective, et s'égaie de couleurs claires et raffinées. Mais il semble que peu à peu s'introduise une nuance dramatique. Entre la grande figure, si monumentale encore dans sa ruine, du *Vielleur* de Bergues (n. 6) et le *Vielleur* de Nantes (n. 25) que Mérimée et Stendhal ressentaient d'une "ignoble et effroyable vérité", s'inscrit assez bien cette évolution. Gardons-nous d'y voir la simple recherche du pittoresque. Nous sommes loin des petits maîtres flamands, qui se gaussent et veulent qu'on se gausse de leurs personnages de kermesse. Nulle dérision chez La Tour, même quand un mendiant hirsute beugle une rengaine, la mâchoire de travers. Nulle complaisance non plus. La Tour garde ses distances, et seul le chien, dans le tableau de Bergues (n. 6), semble peint avec une véritable complicité. Mais de là naît ce pathétique que le réalisme a si souvent rencontré, sous le pinceau des Espagnols comme sous la plume de Zola.

Y eut-il dès ce moment, chez La Tour, un sentiment de la vie plus ou moins nuancé de stoïcisme? On le croirait volontiers. Si la vérité du monde est misère et laideur, les passions n'apparaissent qu'une vaine comédie. La *Rixe de musiciens* (n. 22) vient se figer dans le quadrillage d'une stricte géométrie. Non que la querelle soit bénigne: témoin, au premier plan, la lame étroite du petit couteau. Mais l'architecture volontaire de la toile avoue d'emblée la leçon morale. D'un côté la femme qui pleure, de l'autre l'homme qui rit: car ainsi va le monde. Et sur la droite un violoniste moqueur pour tirer la conclusion: celle sans doute qu'un graveur ajouta au bas d'une autre *Rixe* due à Bellange, "Mendicus mendico invidet", le misérable trouve toujours plus misérable que lui pour jalouser sa misère.

Les derniers tableaux diurnes, la *Diseuse de bonne aventure* (n. 29) comme les deux *Tricheurs* (n. 28 et 30), jouent plus franchement encore du thème de la farce: mais il s'y mêle une gravité et une ironie singulières. La Tour, arrivé au point le plus parfait sans doute de sa virtuosité, se plaît encore dans ces œuvres à célébrer l'éclat d'un jeune visage que rehausse un collier de jais, les reflets d'un satin, d'un vin couleur de rubis dans un verre de Venise, d'un bracelet de perles. Mais au même instant il dénonce l'illusion. Le jeune homme qui s'avance gauchement et goulûment dans ce monde plein de promesses, qui croit à la bonne aventure prédite par la bohémienne, qui espère les plaisirs de l'amour, du vin et du jeu proposés par la courtisane, sera berné par tous. Ici, les fausses cartes sortant déjà de la ceinture du mauvais compagnon; là, caché dans l'ombre, le jeu des mains avides et complices. Et tout près du visage de jeune fille le plus lumineux qu'on ait peint jusqu'à Renoir, l'ignoble face de l'Egyptienne, pareille à celle de la vieille Haumière de Villon, avertit assez que la beauté même n'est qu'une imposture transitoire. Il n'est d'autre recours que mépriser les apparences chatoyantes des choses, et de se tourner, comme saint Jérôme méditant ou pénitent (n. 21, 26 et 31), vers les vérités éternelles. La loi morale seule conduit à la certitude. Dure ascèse: la corde dont se flagelle saint Jérôme est teintée de sang. Mais le grand vieillard au poing serré sur la croix apparaît, dans sa décrépitude et sa nudité, l'une des plus nobles figures qu'ait proposées La Tour.

On ne peut oublier que dès ce temps, certainement, avaient commencé les malheurs de la Lorraine, et surtout la peste, cruel rappel de la vanité du monde. Le stoïcisme, diffus dans tout le XVIIᵉ siècle, trouve dans ce pays un champ d'élection: il s'exprime non seulement chez les humanistes, mais dans la morale religieuse, celle des Franciscains en premier. Au reste, entre les années trente et quarante, semble se développer un peu partout un réflexe de raidissement et de discipline: refus des passions incontrôlées, si nobles soient-elles, appel à la volonté, à la loi morale. Le *Cid* est de 1636, le *Discours de la Méthode* de 1637, et de 1637 la *Manne* de Poussin. Des œuvres comme les *Saint Jérôme* de La Tour s'inscrivent parfaitement dans ce contexte. Le réalisme ne fut sans doute au départ qu'un héritage de la tradition caravagesque: mais La Tour le conduit jusqu'à ce point extrême où il délivre une leçon morale rejoignant — si différentes soient-elles à l'origine — celles d'un Corneille ou d'un Poussin.

Or du même coup ce réalisme se détruit lui-même. Il n'en demeurera bientôt que l'écorce: visages qui refusent de se modeler sur un type abstrait, habits contemporains donnés aux saints, conformément à la vieille leçon du Caravage. Des paysans lorrains apporteront leur tribut à Jésus emmailloté et à la Vierge vêtue d'une grosse robe de bure (n. 50), Irène en corsage à busc veillera Sébastien dont le casque d'acier brille à terre (n. 64-65). Mais devant la simplification des plans, devant la stylisation monumentale des figures, oserons-nous encore prononcer ce mot de réalisme?

A partir du milieu de sa carrière, il semble que La Tour tende à faire de chacune de ses toiles une sorte de méditation qui se suffit à elle-même, ou plutôt — car les œuvres continuent à s'éclairer et s'enrichir l'une par l'autre — qui chaque fois touche à l'un des problèmes essentiels de la condition humaine. On songe, quoique les thèmes soient différents, et plus encore la mise en scène, à ces tableaux où Poussin, dans les mêmes années, se saisit d'un sujet plus ou moins banal de l'Ecriture ou de l'histoire antique pour en faire surgir des vérités universelles. Le choix des nuits, pratiquées sans doute très tôt, mais dont La Tour semble désormais se faire une spécialité, fut-il le moyen de captiver un public français, sinon parisien, qui n'était pas accoutumé au caravagisme et pouvait y trouver l'attrait de la nouveauté? Fut-il conversion due à quelque voyage, à de nouveaux contacts, ou simplement luci-

dité du génie? Il n'importe qu'à demi. L'essentiel est que ces nocturnes vont lui permettre admirablement de développer, d'approfondir sa pensée, et d'amener chaque tableau jusqu'à ce point de dépouillement et d'émotion où il devient une sorte d'*exemplum* hors du lieu et du temps.

Dès les tableaux diurnes, La Tour est arrivé à cette opposition entre la vanité du monde et la dignité de l'ascèse morale. Le premier *Saint Sébastien* (n. 41), dont il faut si fort regretter l'original perdu, reprend au niveau noble et douloureux du poème tragique (il date peut-être de 1638-1639, et *Polyeucte* de 1640) l'idée de l'effort héroïque et du sacrifice. Le jeune capitaine qui a risqué sa vie pour sa foi se retrouve désarmé, nu, blessé, abandonné au milieu de la nuit. Dans le champ étroit et mouvant que fait surgir la flamme d'une lanterne s'établit, entre la souffrance de l'homme et la pitié de la femme, un dialogue tout proche de la communion amoureuse. Mais la sainte infirmière aux yeux baissés n'ignore pas qu'il s'agit d'un bref répit avant de nouveau le supplice, puis la mort. Plus simplement, mais non moins fortement, les *Madeleine* (n. 32, 34, 39, 40, 45, 47), les *Saint François* (n. 33, 36, 37) vont insister sur l'idée de l'ascèse. La flamme, symbole du temps qui se consume, le miroir, symbole de la fragilité et de l'illusion, captivent le regard de Madeleine se dépouillant de ses parures ou déjà calme dans son dénuement. Le crâne de mort qui se cachait derrière le livre de Jérôme réapparaît sous les mains croisées de la sainte comme sous les doigts de François. Tous deux se retirent d'un univers trompeur, se vêtent de bure et de corde, choisissent la solitude et l'austérité. Or il semble que l'art de La Tour, lui aussi, durant ces mêmes années, se dépouille d'un reste d'esprit mondain. La *Madeleine Fabius* (n. 39) esquisse encore un geste élégant qui n'étonnerait pas sous le pinceau de Vouet, et qui disparaît de la *Madeleine Terff* (n. 47). Le *Saint François* gravé (n. 33) garde une fierté de grand seigneur que le *Saint François* du Mans (n. 36), tête renversée, bouche ouverte comme un mort, a désormais abdiquée. Et la nuance romanesque qui adoucissait le *Saint Sébastien* (n. 41), si proche d'un Tancrède et Herminie, ne se retrouvera plus.

Mais vers le même temps surgissent dans l'œuvre de La Tour des personnages d'enfants. Chose singulière, on n'en rencontre aucun dans la série des tableaux diurnes retrouvés. Le premier est sans doute le *Souffleur Granville* (n. 42). Sujet banal, mainte fois traité à la suite des Bassans par les caravagistes du Nord: un jeune garçon au visage ingrat, déformé par le geste quotidien d'allumer une lampe. Mais l'éclat du brandon fait surgir des ténèbres silencieuses une présence: celle d'un être simple, comme sans pensée et sans passé. Et dans cette simplicité même dévoilant soudain le prix infini qui s'attache à tout être.

Car l'enfant est espoir de vie dans un monde promis à la mort. Antérieur à son destin, donc au choix moral qu'il suppose, il représente l'innocence parmi la laideur et la corruption. Qu'il soit apprenti en tablier ou Jésus lui-même, ange ou Marie enfant: il importe à peine. La Tour va l'opposer dans une sorte de dialogue muet au vieillard marqué par l'expérience et ses diverses cicatrices. Les Caravagistes, et le Caravage lui-même, avaient montré tout l'effet poétique qu'on pouvait tirer de la juxtaposition d'un saint Matthieu barbu, ridé, alourdi par l'âge, avec la grâce adolescente de l'ange. La Tour élève le contraste au plus haut de sa signification métaphysique. La lumière de la chandelle inondant un profil d'enfant lui donne un aspect immatériel (n. 43), et, par delà l'innocence même, cette certitude spirituelle qui est le don divin (n. 44). En face de lui Joseph, pris dans la tâche quotidienne, grave et comme aveugle, ignore à quel haut destin il travaille: car la poutre qu'il façonne s'organise en forme de croix. Ou encore, du fond du sommeil, au moment le plus humble, le plus abandonné, voici le vieillard que rien ne désignait soudain saisi par l'illumination, élu (n. 44). Comment douter que La Tour ne touche ici à ce problème capital au XVIIᵉ siècle, non seulement pour les théologiens, mais pour tous les esprits, qui est celui de la grâce?

En face de la Vierge enfant sainte Anne semble plus consciente (n. 52, 54). Les femmes de La Tour n'ont jamais l'aspect fruste et la pesante matérialité de ses vieillards. Le contraste poétique se renverse: il confronte un être fragile avec l'adulte qui sait ou pressent par quelles voies fatales et nécessairement douloureuses s'accomplira le destin de l'enfant. C'est lui qu'on retrouve dans les diverses *Nativité*: la plus ambitieuse, celle que nous ne connaissons plus que par la gravure (n. 35); la plus émue, celle du Louvre (n. 50); la plus sublime, qui demeure celle de Rennes, l'un des sommets de l'œuvre (n. 57). Etroitement serré dans ses langes, encore endormi d'un sommeil presque animal, l'enfant n'est qu'une promesse de vie protégée par les femmes. Nulle joie en sa présence, nul sourire même: la gravité devant une destinée qui commence dans ce monde d'illusions et de souffrances. Mais par delà toute pensée, et plus juste que par aucun mot, La Tour dit ici la maternité, et ce lien, fait de possession, de sollicitude et d'espoir, entre la vie qui s'accomplit et la vie qui commence.

Ainsi vient s'inscrire dans l'œuvre une nouvelle dimension. Chez La Tour, qui eut au moins dix enfants, et qui en dut perdre sept (dont plusieurs dès le berceau), la méditation sur l'enfance n'est pas allégresse ni épanouissement. Mais elle apporte, à la tension d'un univers pessimiste, une sorte de rémission. Que l'on supprime de l'œuvre ces toiles où apparaît l'enfant (et, si rarement, innocent et grave, l'animal [n. 50 et 51]): le monde de La Tour semblera l'un des moins conciliants que peintre ait jamais créés.

Car l'effort moral n'est jamais assuré de sa récompense. La grâce peut à chaque instant manquer. Le plus fervent, le plus expérimenté, sera peut-être le premier à faillir. La suite des *Larmes de saint Pierre* (n. 5, 8, 51, 62) rappelle cruellement que le disciple fidèle entre tous, celui que le Christ a choisi pour lui confier les clefs, renie avant que le coq chante. Dès la première version que nous connaissions (n. 5) La Tour

invente ce geste des mains serrées l'une contre l'autre, dans une sorte de surprise tragique autant que de repentir, de tremblement autant que de supplication, où se traduit l'émoi devant la faute reconnue. Et l'un des derniers tableaux de La Tour sera justement le *Reniement de saint Pierre* (n. 68), où la soldatesque étale au premier plan sa gaieté vulgaire, tandis que dans un coin le vieillard apeuré est acculé au mensonge et à la trahison.

Par une sorte de dramatisation qui répond à l'esprit du temps plus qu'aux traditions iconographiques, La Tour incline à montrer, non pas seulement cette constance du saint (et du sage) à travers les épreuves, les efforts et les échecs, mais l'enseignement qu'elle comporte. Ici encore, il aime à instituer un dialogue. Il ne lui suffit pas d'Alexis sous l'escalier où vient de s'achever la suite cruelle de ses abstinences: il introduit le personnage du jeune serviteur, et transforme l'épisode en péripétie dramatique (n. 61). Sans effroi, mais comme au bord des larmes, l'adolescent découvre à la fois la mort de l'aîné, et la leçon d'ascèse qu'il lui lègue. On n'a retrouvé jusqu'ici aucune figuration semblable de la légende. Le *Job* d'Epinal (n. 66) est à peine plus conforme aux représentations habituelles. Plus importante que le vieil homme plongé dans l'ombre devient sa femme, profil interrogateur du haut de la tour massive de ses jupes, ou plutôt le dialogue qui s'établit entre l'âme simple scandalisée par les vicissitudes du sort, et l'âme forte se refusant au désespoir et au reniement.

Mais précisément ce dialogue "classique" introduit jusque dans la tension stoïcienne une sorte de tendresse pathétique. La femme de Job n'est plus une mégère ricanante. Le point juste de la pensée, ou, si l'on veut, de la poésie, est peut-être à chercher dans le *Saint Sébastien à la torche* (n. 64), le plus fameux sans doute des tableaux de La Tour, le plus ambitieux aussi que nous conservions avec ses cinq personnages en pied. Cette seconde version, qui doit dater de 1649 – guère plus de deux ans avant la mort –, supprime l'espèce de complicité amoureuse qui se nouait dans le *Saint Sébastien à la lanterne* (n. 41). Le jeune saint apparaît plus viril, avec la moustache qui glisse au coin de sa lèvre. Il est presque mort, comme le veut la *Passio Sebastiani*, il ne conte plus ses misères, et la main d'Irène ne se hasarde qu'à soulever son poignet. Mais la pitié s'exprime encore plus fortement, une profonde pitié humaine qui sur les visages fermés fait glisser, comme involontaire, une larme. Au dessus de ce corps évanoui de souffrance le silence des femmes qui s'agenouillent, scandé par de grandes verticales, semble la plainte d'un chœur antique devant la cruauté du destin.

De ce stoïcisme, de cet effort pour maintenir, dans un temps d'effrayants désastres, la rigueur de l'effort spirituel, de ce besoin de rappeler, face à l'abaissement des êtres qui naît de la misère physique, le prix des corps et des âmes et la pitié qui leur est due, nous avons d'autres exemples dans la Lorraine du temps. L'inspiration de La Tour, nous l'avons dit, n'a rien qui surprenne. L'avocat Haraudel montre des sentiments bien voisins quand, dans sa longue élégie sur les misères de la Lorraine, il évoque un pays frappé par les brandons

> De Peste, de Famine, et de la Guerre ensemble,

et qu'il en tire une leçon d'humilité et de constance :

> Le point considérable et toute l'importance
> Consiste à bien mourir, non à la différence
> Quand, comment, en quel lieu, et par quel accident
> De Guerre, de Famine, ou d'un air pestilent...

Mais pour direct, pour émouvant qu'il soit, son poème reste un exercice de lettré. Le privilège de La Tour est de donner à cette expérience, par la lente maturation de l'art, une valeur universelle. Le petit volume qui réunit aux textes de Paul Jamot les principaux tableaux de La Tour fut lu dans les camps de prisonniers avec ferveur, et René Char avait une photographie du *Job* épinglée dans son P.C. de résistant à Céreste. En un temps où sévissait de nouveau la guerre avec ses misères et ses déchéances, les œuvres du peintre lorrain trouvaient leur plus profonde résonance. Aujourd'hui que la peinture accepte de se soustraire à toute signification, ou se contente de l'illustration la plus simpliste, il n'est peut-être pas inutile de rappeler qu'une haute destinée d'artiste peut, en son principe et dans la mesure même où elle est recherche et création d'un langage, être tout à la fois une quête spirituelle et un enseignement moral.

Jacques Thuillier
août 1972.

La fortune critique de Georges de La Tour

(1835. *Musée de Nantes*)

Le livret attribue à Murillo un *Aveugle chantant et jouant de la vielle*, d'une ignoble et effroyable vérité. Sans contredit cette figure est d'un artiste espagnol et de l'école de Séville; mais Murillo, dans sa première manière, a un coloris plus sombre, et ses derniers ouvrages sont exempts de la sécheresse qu'on remarque dans ce tableau. Il conviendrait mieux, ce me semble, à Velasquez, qui, à son début, s'essaya dans les sujets vulgaires, et qui alors était loin d'annoncer ce pinceau gracieux et suave qu'il acquit à la fin de sa carrière.

PROSPER MÉRIMÉE, *Notes d'un voyage dans l'ouest de la France...*, Paris, 1836, p. 305.

Ce jugement a été résumé et repris à son compte – quasi littéralement – par Stendhal, dans ses "Mémoires d'un touriste", parus en 1838:
Je remarque (...) N° 17 - Vieillard jouant de la vielle. Ignoble et effroyable vérité; tableau espagnol attribué à Murillo. Il n'est pas sans mérite. Coloris sage, expression vraie. Il provient du Musée Napoléon. Peut-être est-il de Vélasquez, qui, à son début, s'essaya dans des sujets vulgaires.

(1863. *Musée de Rennes*)

[...] Ce qui est absolument sublime, c'est un tableau hollandais, *le Nouveau-Né*, attribué à Lenain: deux femmes regardant un petit enfant de huit jours, endormi. Tout ce que la physiologie peut dire sur les commencements de l'homme est là! Rien ne peut exprimer ce profond sommeil absorbant, comme celui dont il dormait, le pauvret, huit jours auparavant dans le ventre de sa mère; le front sans cheveux, les yeux sans cils, la lèvre inférieure rabaissée, le nez et la bouche ouverts, simples trous pour respirer l'air, la peau unie, luisante, que l'air a touchée encore à peine, tout l'engloutissement primitif dans la vie végétative. La lèvre supérieure est retroussée; il est tout entier à respirer. Le petit corps est collé et serré dans ses langes blancs raides comme dans une gaine de momie. Impossible de rendre mieux la profonde torpeur primitive, l'âme encore ensevelie. Le tout est relevé par l'air borné de la mère, par la simplicité et la rudesse du rouge intense de son vêtement qui jette un chaud reflet sur ce petit bloc de chair ronde.

Les faits qui accroissent l'impression d'immobilité, de simple chair vivante, sont: le petit nez retroussé, petite boule de chair, rouge de l'afflux du sang, la peau si mince qu'elle semble absente.

– Le front absolument lisse, sans l'apparence d'un pli ou d'une ride, gras, luisant, bombé, la chair recouvrant tout; la surface également lisse pour tout le visage, toute couverte végétativement de chair; la mollesse de cette chair où le simple attouchement d'un doigt ferait une fossette; il n'y a que la plénitude de la vitalité naissante qui puisse gonfler et soutenir une pulpe si ployante, et si imprégnée d'humidité. – La minceur de la fente légèrement obscure qui marque la fermeture des paupières; les cils blonds sont imperceptibles et à peine nés. – Le rose empourpré, lymphatique et sanguin, gras et presque fluitant de toute la face, sur le blanc cru et le grand pli du linge qui l'enveloppe tout entier. – Enfin l'aspect tout flamand, le visage de brebis pacifique de la jeune mère; le calme de génisse flamande de la femme d'âge moyen qui tient une lumière.

L'impression dominante est partout ici que le vrai peintre est un simple faiseur de corps. Le sujet n'est rien; comment l'artiste a-t-il saisi, de quelles prises, avec quelle profondeur a-t-il compris la réalité physique colorée et vivante? Plus un homme est peintre, plus il est incessamment et éternellement occupé de faire vrai.

HIPPOLYTE TAINE, *Carnets de Voyage. Notes sur la Province*, 1896

(*Au Musée de Rennes*)

Comme le bon La Fontaine qui demandait à tous venant: Avez-vous lu Baruch?, je redirais volontiers aux échos d'alentour: Connaissez-vous Le Nain? Connaissez-vous surtout l'étrange et délicieux tableau du Musée de Rennes, cette *Nativité* noyée d'ombre, où d'humbles, tendres et douces silhouettes s'éclairent de reflets d'une si mystérieuse lumière? Cette œuvre me hante. Chaque fois que je suis revenu à Rennes, elle m'a charmé davantage. C'est une merveille de sentiment, de candeur et d'originalité. A la même époque, en dehors de l'Espagne, il n'y a que Rembrandt et Van der Meer de Delft qui avaient autant de hardiesse dans la conception et de sensibilité dans le rendu intime de l'être humain...

(*Au Musée de Nantes*)

Nous voici devant une des réalisations exceptionnelles de l'art de peindre: le *Joueur de Vielle*, de la collection Cacault. Une gamme fauve, monocorde, d'une délicatesse extraordinaire, à peine rompue par l'orange de la culotte et le rose grenade des rubans, enveloppe une ambiance tranquille toute baignée d'air et de lumière [...]. Tableau saisissant, ferme, expressif,

naturel en toutes ses intentions. La nouvelle installation [du musée] devra réserver une place à part et isolée au *Joueur de Vielle*; il en devra une aussi à *Mme de Senonnes*. A de telles œuvres il faut une véritable chapelle.

GONSE, *Les chefs d'œuvre des Musées de France. La peinture*. Paris, 1900, p. 272-274 et p. 256-257

L'accord des données [que fournissent les textes lorrains] avec les sujets, la signature, la date et le style des tableaux de Nantes, nous permet de désigner comme leur auteur ce La Tour de Lunéville. Nous découvrons en lui un artiste qui poursuit la tradition des "nuits" du cercle caravagesque, notamment de Gérard Honthorst et de son école, dans une manière quelque peu provinciale, mais particulière et personnelle. Au traitement raide de la ligne, au dessin dur des membres de ses figures, correspond un coloris tout à fait remarquable, quoique pareillement tranchant et arbitraire, où dominent les couleurs cinabre et lilas. Aux tableaux de Nantes se rattache la *Nativité du Christ* de Rennes, stylistiquement voisine dans toutes ses parties. [...] Une composition apparentée, qui sans aucun doute renvoie également à un tableau de La Tour, m'est connue par une gravure qui porte, faussement de toute façon, le nom de Jacques Callot [...]

HERMANN VOSS, in *Archiv für Kunstgeschichte*, 1915, pl. 121-123 et notices (trad. de l'allemand)

Le caractère le plus frappant de ses œuvres est, d'abord, l'absence de toute frénésie pathétique dans la présentation du sujet. Tout y est calme, simple, naturel. De sorte qu'un tableau religieux – l'*Adoration des Bergers* du Louvre, par exemple – ne diffère guère, par l'intensité émotive, d'un de ses tableaux à sujet profane, comme la *Mère et l'Enfant*, de Rennes. Le sentiment intime et tendre qui imprègne ces œuvres nous paraît d'autant plus inaccoutumé que le peintre se sert de grandes surfaces, composées avec netteté, à la façon des bas-reliefs, et où les lignes générales tendent au caractère monumental. D'un côté, naturalisme, personnages aux têtes d'un réalisme original et très accentué (tableaux du Louvre et du Musée de Rennes), d'autre part un langage formel d'un art hautement idéaliste (le *Saint Sébastien* du Musée de Berlin), qui suppose la connaissance de la peinture italienne du siècle précédent. Bien que G. de La Tour ne soit pas mentionné dans les documents littéraires italiens de l'époque, il est permis d'admettre qu'il se soit inspiré des peintres toscans parmi les disciples du Caravage, et notamment d'Orazio Gentileschi, dont l'art à tendances classiques se rapproche de celui du peintre français. Mais l'originalité véritable de l'art de G. de La Tour réside dans la composition de sa palette. Il emploie très fréquemment un rouge vermillon et un violet tendre, dont on chercherait vainement les antécédents en Italie. On trouverait des tons analogues plutôt en Hollande, dans certain tableau de Terbrugghen (voyez par exemple le tableau de Berlin). Et, pour finir, il n'est peut-être pas inutile de faire allusion aux rapports possibles entre l'art de G. de La Tour et celui de Callot. Nous n'avons, bien entendu, pas du tout la prétention d'avoir réussi à définir le style de G. de La Tour. Il est malaisé de situer son art, les formes qu'il crée étant tantôt réalistes, tantôt idéalistes, ou imprégnées de maniérisme.

VITALE BLOCH, "Georges (Dumesnil) de La Tour", in *Formes*, décembre 1930, p. 18

[...] C'est sans doute cette âpreté, ce primitivisme naturaliste sans scrupules qui évoque tellement l'art espagnol et notamment Zurbaran. Néanmoins cette analogie est purement extérieure et ne touche point le fond de la pensée artistique. La sévérité et la simplicité de Zurbaran possèdent, malgré tout, un pouvoir dynamique, une franchise méridionale et une force concentrée de l'élan qui n'est nullement comparable au dessin angulaire des artistes du Nord et au caractère d'analyse réfléchie du *Joueur de Vielle* et du *Saint Jérôme*. Que l'on suive par exemple la silhouette de la composition, coupée en maints endroits, dans le côté droit du *Joueur de Vielle*, ou bien l'isolement caractéristique, en guise de natures mortes, de certains détails de l'instrument de musique et d'autre parties "mortes" du premier plan. De telles interruptions de l'élan rythmique sont foncièrement opposées à l'impétuosité monumentale d'un Zurbaran et des autres peintres réalistes de l'Espagne. La conception linéaire de La Tour se manifeste par une prédilection pour le détail, pour la forme détourée, à arêtes tranchantes. Il tâte les surfaces et les contours des choses avec précision et acuité, sans éprouver de répugnance pour leur crudité; au contraire il semble jouir de l'irrégularité de leur structure. La Tour est un styliste septentrional qui s'attaque, à ses risques et périls, aux thèmes favoris des réalistes méridionaux, thèmes dont il n'est pas aisé d'avoir raison en leur appliquant une semblable mesure. La Tour est pour cela un esprit qui "expérimente" trop et qui choisit ses moyens, par moments, avec trop de calcul. Malgré cela, il réussit toujours à étonner et à captiver le spectateur par le paradoxe audacieux de son coloris et par une harmonie qui maîtrise, sans la moindre trace de convention, des éléments disparates, rébarbatifs et contradictoires. Cette harmonie âpre témoigne de rares qualités picturales.

HERMANN VOSS, "Tableaux à éclairage diurne de G. de La Tour", in *Formes*, juin 1931, p. 99-100

(*A propos de l'Exposition de "L'Art français, 1200-1900" à la Royal Academy de Londres*):

[...] Curiosité plus rare aussi, les deux tableaux du petit peintre de Lunéville, La Tour-Dumesnil: le *Nouveau-né*, dont j'ai aimé depuis longtemps, au Musée de Rennes, le flamboiement et les tons rouges, puis les *Tricheurs*, appartenant à une collection particulière, costu-

mes bigarrés et riches, figures expressives. Ce petit provincial, qui a pour la première fois les honneurs d'une grande exposition, nous conduit naturellement aux Le Nain, honneur de cette salle [...]

ANDRÉ DEZARROIS, "L'Art français à Londres", in *Revue de l'Art ancien et moderne*, février 1932, p. 84

[A l'exposition rétrospective d'art français de la Royal Academy] le caravagisme est représenté par deux tableaux de G. Dumesnil de La Tour, une *Nativité* (Rennes) — amusante, mais inférieure au tableau de Berlin, et le *Tricheur* (à M. P. Landry) — lourd, mal coloré et de mauvais goût. Je ne comprends pas le bruit qu'on a voulu faire, ces derniers temps, autour de ce caravagiste moins important que Terbruggen, Manfredi et le Valentin [...]

GEORGE ISARLO(v), *La peinture française à l'Exposition de Londres 1932*, Coll. Orbes, n. IV, Paris, 1932

(*A propos de l'Exposition des "Peintres de la Réalité" à l'Orangerie*)
On lit sur lui, ces temps-ci, des apologies pleines de talent.
— Vous devriez voir ce peintre. Il est surprenant. Nous n'avons pas d'instruments pour mesurer le génie; mais j'ai l'impression que le talent de La Tour ferait voler en pièces plus d'un manomètre. C'est pitié que nous n'ayons rien de sa main en Italie. Malgré sa signature latinisante, il est probable qu'il n'a jamais fait le voyage de Rome. Et c'est pour cela peut-être qu'il sait donner, des principes caravagesques, une interprétation si particulière, nullement servile. Il pourrait bien s'être contenté de ce que lui racontaient Callot ou Le Clerc de retour à Nancy, soit tout près de l'endroit où La Tour habita et peignit sa vie durant. Je le vois comme le gentilhomme masqué du caravagisme, une sorte de dilettante mystérieux. Je dirais que dans le mouvement caravagesque il occupe la place que Savoldo, noble de Brescia, tient dans le giorgionisme. Il construit son fortin caravagesque à Lunéville, en Lorraine, et continue à calculer ses effets de lumière jusque vers 1650, à une date où, tout compte fait, de peinture caravagesque, il n'en était plus question depuis un bon moment dans aucune partie du monde. On l'imagine, dans ses expériences d'alchimie caravagesque, enfermé dans une tourelle, à la lumière artificielle d'une lanterne magique, ou tout au plus, à la lumière jaune qui filtre durant le crépuscule. J'irais jusqu'à parler, avec lui, d'un caravagisme huguenot. Quoi qu'il en soit, ses interprétations des sujets religieux sont les plus intelligentes et les plus modernes après celles, si scandaleuses, du Caravage: mais plus mystérieuses, plus ésotériques. La *Visite au prisonnier* ne serait-elle pas l'une des *Sept œuvres de miséricorde* que le Caravage avait traitées dans le célèbre tableau de Naples? [...] Le *Saint Sébastien* dont existent deux exemplaires, à Rouen et Orléans, et l'autre du Musée de Berlin, patiemment soigné par les chatelaines lorraines, n'ont-ils pas un air d'actualité, comme l'épisode d'un blessé durant les guerres de religion? Le *Nouveau-né* de Rennes ne serait-il pas au juste une simple *Nativité* dépouillée des auréoles et autres attributs non réalistes, à l'exception du surnaturel si habile de l'éclairage, découvert dans un coin d'écurie,

sous la crèche? Je le répète, La Tour, il faut le voir: on ne peut le décrire.

ROBERTO LONGHI, "I pittori della Realtà in Francia, ovvero I caravaggeschi Francesi del Seicento", in *L'Italia letteraria*, 19 janvier 1935 (traduit de l'italien)

Georges Delatour vient de faire son entrée officielle dans l'histoire de la peinture française. L'exposition a fait connaître le Delatour diurne et elle a dissipé les derniers doutes sur l'auteur du surprenant *Joueur de vielle* du musée de Nantes [...] L'art de Delatour est frappant parce qu'il contient un mélange bizarre du primitif et du recherché, de formes maniéristes et de formes naturalistes, de sérieux et de grotesque, de "direct" et d'extrêmement stylisé. Presque toutes ses œuvres impressionnent, mais quelques unes seulement resteront. La *Nativité* de Rennes et l'*Adoration des bergers* du Louvre ont des affinités spirituelles avec les œuvres de Le Nain. Extérieurement, tout est différent: Le Nain ne se préoccupe jamais des volumes comme le fait Delatour; ses contours ne sont jamais aussi nets. Le Nain n'a pas de procédé défini; il peint toujours en tâtonnant, tandis que Delatour se sert d'artifices picturaux du répertoire caravagesque.

VITALE BLOCH, "Peintres de la Réalité", in *Beaux-Arts*, n. 110 (8 février 1935), p. 2

Dès maintenant, Georges de La Tour, hier inconnu, est entré dans la gloire. Ce Lorrain, mort à Lunéville en 1652, compte parmi les vrais originaux, non seulement du XVIIᵉ siècle, mais de toute l'école française. A l'Orangerie, il dispute presque le sceptre à Louis Le Nain. Comme celui-ci, n'est-il pas "peintre de la réalité", aussi bien dans les tableaux religieux que dans les sujets de fantaisie et les scènes familières? Comme Louis Le Nain, ne répand-il pas sur les choses qu'il rend avec une application passionnée la poésie et le mystère? La *Nativité* de Rennes, qu'on appelle aussi *Le Nouveau-né*, où la lumière d'une chandelle ne laisse voir des visages convergents qu'une tendresse contenue qui n'en touche que davantage nos cœurs, n'est-elle pas une création aussi originale que les plus beaux *Benedicite* du grand peintre laonnois? Le double titre donné à cette délicieuse composition ne souligne-t-il pas ce que les œuvres de La Tour contiennent à la fois de saisissante réalité et de spiritualité profonde? Scène de la vie familière? Sujet religieux? On hésite. Mais, profane ou non dans son principe, l'œuvre, — on n'hésitera pas sur ce point, — est mystique en son essence. On hésite encore moins lorsque l'on considère les inventions de couleurs, de lignes, de sentiment et d'expression qui mettent à part dans toute la peinture de ce temps, en France et ailleurs, des œuvres comme *Le Prisonnier* du Musée d'Épinal, que l'on doit maintenant appeler *Saint Pierre délivré de la prison*, ou le tableau du Musée de Nantes qui représente *L'Ange apparaissant à saint Joseph endormi*. L'Ange, dans les deux cas, est une jeune fille vêtue comme les autres jeunes filles du temps. Elle tient une chandelle et l'on ne lui voit pas la moindre amorce d'ailes. Mais, on ne sait par quels moyens subtils, cette scène plongée dans l'ombre, sauf pour la part de lumière qui filtre à travers des doigts repliés, dégage une atmosphère surnaturelle. Le doute n'est pas permis: ce sont des anges — quelle rare merveille où se mêlent l'idéal et la réalité! —

ce sont des anges, des anges sans ailes ni autre attribut traditionnel, ces figures de femmes qui se penchent sur un dormeur ou sur un captif, assistantes muettes chargées de secrets dont leur solennelle attitude nous assure l'importance.

PAUL JAMOT, "Le Réalisme dans la peinture française du XVIIe siècle. De Louis Le Nain à Georges de La Tour", in *Revue de l'Art ancien et moderne*, 1935, I, p. 71-72

Tout chez La Tour, le Lorrain, trahit l'enchevêtrement des instincts et des traditions du Nord et du Sud, de l'Ouest et de l'Est. Il a le goût de l'étrange, et par sa description lucide de ce que lui montre le jour, par l'intense simplification de ce que lui livre la nuit, il s'arrête avant d'arriver au vérisme, à l'effet pittoresque ou au monstrueux. Il penche vers le mystère, et par sa retenue, par sa calme et classique ordonnance, sa magie n'a rien de théâtral, son pathos reste humain. Voici pourquoi, malgré un léger parfum rhénan qui circule dans ses ténèbres, il est profondément français, pourquoi il se rencontre avec les Le Nain (*Adoration des Bergers* au Louvre), pourquoi certaines de ses femmes (celle qui écarte les bras, dans le tableau de Berlin) ont les gestes des femmes de Le Sueur. Voici pourquoi, disciple indirect du Caravage, au milieu des grandioses problèmes picturaux que posait le style baroque, il a retrouvé la simple tendresse et la sérénité classique.

Sa gravité et sa mélancolie, pareilles à celles des Le Nain, de Le Sueur ou de Philippe de Champaigne, ont permis à La Tour de comprendre tout le sérieux des mystères du Caravage, toute la valeur spirituelle que l'art peut tirer d'un clair-obscur où la lumière révèle brusquement des fragments de la nature crue qui bouleversent l'âme. Avant la venue de Rembrandt, la grande leçon du Caravage ne fut fertile que rarement. En Hollande, dans quelques tableaux de Honthorst et de Terbruggen, en Italie dans ceux de Feti, de Saraceni, de Borgianni, de Gentileschi, la lumière a parfois cette qualité poétique. Seule l'Espagne a admirablement pénétré le secret de ce "naturalisme" apparent pour l'asservir à son mysticisme. Et la France d'alors, qui trahit une singulière parenté avec l'Espagne, tant dans les arts que dans les lettres, a pu tout naturellement produire un La Tour, en parant son mysticisme lorrain de la grandeur classique.

CHARLES STERLING, "Les peintres de la Réalité en France au XVIIe siècle. Les enseignements d'une exposition. I. Le mouvement caravagesque et Georges de La Tour", in *Revue de l'Art ancien et moderne*, 1935, I, p. 40

Devant la *Madeleine* de La Tour, sévère et profonde, mais sereine création de l'art français, M. Charles Sterling a éloquemment évoqué deux des plus belles images que nous connaissions de la *Mélancolie*, celle de Dürer et celle de Milton. L'éloge est magnifique. Il n'est pas, je crois, excessif. L'esprit français oscille volontiers de la mélancolie à l'ironie; ne lui semblent-elles pas d'aventure deux aspects de la même attitude en face de ce monde incertain et trouble où nous fûmes jetés? L'esprit français se reconnaît, avec ce qu'il a de meilleur, de plus universel et de plus humain, dans la *Mélancolie* de Georges de La Tour. Celle-ci n'est pas, comme la robuste créature de Dürer, courbée sous un fardeau trop lourd, assiégée par

les mille inventions des hommes et par leurs erreurs. Consciente à la fois de la faiblesse de l'homme et de l'incomparable grandeur de sa vocation, elle sait que le sacrifice la conduira à la paix. L'écart infini entre le divin et l'humain sera franchi. *Unum porro est necessarium.*

Un artiste né pour s'élever si haut est presque fatalement forcé d'attendre les fruits de la maturité. Le plus beau génie ne saurait commencer par la *Madeleine au miroir* ou par le *Saint Sébastien*. Comme il est arrivé plus d'une fois, en France peut-être plus qu'ailleurs, aux plus grands originaux, comme ce fut le cas presque au même moment pour Louis Le Nain et, dans une autre province de l'empire des arts, pour Nicolas Poussin, La Tour était sans doute de ces hommes qui, portant en eux-mêmes une impérieuse mais périlleuse prédestination, cherchent longtemps le langage seul propre à projeter dans le monde le secret de leur âme et de leur pensée. L'ayant une fois trouvé, ils n'ont plus guère à y changer, car il peut tout éclairer de ce qu'ils sont seuls à voir: il peut tout accueillir de ces choses indicibles qui viennent du cœur autant que d'un esprit dominateur et grand. Une chandelle, parfois dans une petite main d'enfant, a vaincu la vaste nuit.

PAUL JAMOT, "Georges de La Tour. A propos de quelques tableaux nouvellement découverts", in *Gazette des Beaux-Arts*, 1939, II, p. 286

[A propos de la *Madeleine à la veilleuse*] Je voudrais aujourd'hui que l'herbe fût blanche pour fouler l'évidence de vous voir souffrir: je ne regarderais pas sous votre main si jeune la forme dure, sans crépi de la mort. Un jour discrétionnaire, d'autres, pourtant moins avides que moi, retireront votre chemise de toile, occuperont votre alcôve. Mais ils oublieront en partant de noyer la veilleuse et un peu d'huile se répandra par le poignard de la flamme sur l'impossible solution.

R. CHAR, *Fureur et Mystère*, 1947 [© Gallimard 1962]

Latour ne gesticule jamais. En un temps de frénésie, il ignore le mouvement. Qu'il soit capable de le représenter bien ou mal ne vient pas même à l'esprit: il l'écarte. Son théâtre n'est pas le drame de Ribera, c'est une représentation rituelle, un spectacle de lenteur. Connut-il Piero della Francesca? Non, sans doute. Le même souci de style fige ses personnages dans la même immobilité plus intemporelle que primitive, celle d'Uccello, de la *Pietà* de Nouans, de Giotto parfois. Celle, aussi, d'Olympie. Si le geste baroque se déploie en s'éloignant du corps, celui de Latour est dirigé vers le corps, comme ceux qui expriment le recueillement ou le frisson. Il est rare que les coudes quittent la poitrine de ses personnages et que les doigts de ses mains offertes (dans le *Saint Sébastien* par exemple) ne soient pas tendus. Les personnages extérieurs de ses groupes sont attirés vers le centre du tableau aussi impérieusement que ceux du baroque s'en délivrent. Tout cela pourrait appartenir à la sculpture, mais celle d'alors gesticulait aussi. Et les personnages de Latour, d'un autre poids que celui de la verticalité persane s'en délivrent toujours par une sorte de transparence [...]

On dit qu'il fut, comme ses contemporains amateurs de nocturnes, voire comme Bassano, un analyste des effets de lumière. Mais ses effets de lumière si prenants ne sont nullement

"exacts", et il suffirait de reconstituer les scènes qu'il peint, et de les photographier, pour le prouver. On sait le rôle que jouent les torches dans ses tableaux; quand une torche a-t-elle dispensé cet éclairage serein et fondu, qui fait apparaître des masses et ne fait pas apparaître d'accents? Les corps du *Saint Sébastien veillé par sainte Irène* ont des ombres, mais projettent seulement celles que le peintre a choisies; et il n'y en a aucune dans le premier plan du *Prisonnier*, que Latour ne voulait pas mettre en valeur. L'éclairage du Caravage venait d'une coulée de jour, souvent le rais de son fameux soupirail; il servait à arracher à un fond sombre ses personnages, dont il accentuait les traits. Les pâles flammes de Latour servent à unir les siens; sa bougie est la source d'une lumière *diffuse* malgré la netteté de ses plans, et cette lumière n'est nullement réaliste, elle est intemporelle comme celle de Rembrandt. Aussi différent que le génie de ce dernier soit de celui de Latour, leurs poésies sont de même nature. Il ne s'agit pas pour eux de copier des accents de lumière, mais de les susciter avec assez de justesse pour ne pas perdre la "crédibilité" dont se passe mal leur poésie. Ainsi Balzac trouve-t-il dans le réel les moyens d'expression les plus efficaces de son fantastique. Et ce que Latour prend au réel est parfois saisi de façon aiguë: les mains translucides de Jésus enfant devant la bougie, dans le *Saint Joseph charpentier*, par exemple. Mais sa lumière n'est ni le moyen d'un relief, comme celle du Caravage, ni le moyen d'un pittoresque, comme celle de Honthorst: c'est le moyen d'une harmonie qui fait du réel le décor de quelque palais du recueillement.

Cette lumière irréelle suscite, entre les formes, des relations qui ne sont tout à fait réelles. La différence entre les œuvres diurnes de Latour et ses œuvres nocturnes est beaucoup plus grande qu'il ne semble d'abord, même lorsque leurs couleurs sont parentes, même lorsque ces œuvres sont presque des répliques, comme le *Saint Jérôme* de Stockholm, de celui de Grenoble. C'est seulement, dira-t-on, qu'il manque aux premières un éclairage particulier. Les petites sources de lumière de Latour sont-elles seulement destinées à établir un éclairage? La lumière des caravagesques tend d'abord à séparer leurs personnages de l'obscurité; mais ce n'est pas l'obscurité que peint Latour: c'est la nuit. La nuit étendue sur la terre, la forme séculaire du mystère pacifié. Ses personnages n'en sont pas séparés, ils en sont l'émanation. Elle prend forme en une petite fille qu'il appelle un ange, en des apparitions de femmes, en cette flamme droite de torche ou de veilleuse, qui ne les troublent pas. Le monde devient semblable à la vaste nuit sur les armées endormies de jadis où, sous la lanterne des rondes, surgissaient, pas après pas, des formes immobiles. Dans cette obscurité peuplée, lentement une veilleuse s'allume: et elle fait apparaître des bergers serrés autour d'un enfant, la Nativité dont la flamme tremblante va s'épandre jusqu'aux limites de la terre... Aucun peintre, pas même Rembrandt, ne suggère ce vaste et mystérieux silence: Latour est le seul interprète de la part sereine des ténèbres.

Dans ses plus belles œuvres il invente les formes humaines qui s'accordent à cette nuit. Ce n'est pas à la sculpture qu'il aboutit, mais à la statue. Les femmes du *Saint Sébastien pleuré par sainte Irène*, celle du *Prisonnier*, sont des statues nocturnes, non par leur poids, mais par leur immobilité d'apparitions antiques : non pas venues de loin, mais surgies de la terre endormie, comme des Pallas de pitié.

ANDRÉ MALRAUX, Les Voix du Silence,
Paris, 1951, p. 380-389

L'œuvre religieux du peintre s'ordonne autour de l'idée de la pénitence rédemptrice. C'est là qu'il faut chercher son unité. Mais ce qui lui a permis de donner à l'expression de sa pensée religieuse un accent auquel nul ne peut rester insensible, c'est, à travers sa pudeur du sentiment religieux et sa foncière honnêteté, un sens du sacré que seul il a su exprimer par de curieux artifices. Ainsi dans la *Madeleine au miroir*, il s'arrange pour que le miroir ne nous renvoie pas le supplément de grâce d'un visage féminin, mais les orbites caves de la tête de mort sur laquelle se pose la main de la pénitente. Ainsi encore dans *l'Extase de saint François* : l'âme absente du corps du saint règne pour ainsi dire dans tout le tableau, elle se reflète au beau visage du moine lecteur.

JOSEPH TRANCHANT, "Georges de La Tour, le peintre perdu
et retrouvé", in Etudes, février 1952, p. 215-216

[...] Car, plus important que les personnages, et plus révélateur, est ce qui les unit tout en assignant à chacun d'eux une valeur particulière. Dans l'*Education de la Vierge*, c'est l'attente de la mère et de l'enfant ; c'est à la fois leur distance et le pont que jettent entre eux le livre et la chandelle ; les deux personnages se taisent, se recueillent, mais un mot va naître.

Que ce mot vienne de l'enfant, toute lumineuse, il n'y a rien qui puisse nous surprendre chez La Tour. Dans le *Saint Joseph* du Louvre, le vieil ouvrier incline la masse de son corps vers la lumière que tient l'enfant, comme s'il y cherchait la justification et le sens de sa tâche. C'est de l'enfant, c'est de l'innocence, que vient presque toute lumière, qu'il s'agisse du nouveau-né de l'*Adoration des Bergers* ou de celui de la *Nativité*, de l'ange dans le *Songe de saint Joseph* ou du page dans l'*Image saint Alexis*.

Toute lumière chez La Tour désigne et déclare ; elle est à la fois symbole et révélation.

M. ARLAND, Georges de La Tour, 1953

Une personnalité aussi affirmée, presque provocante, marquée d'une forte empreinte mystique que l'on devine par exemple dans la *Marie-Madeleine à la veilleuse* de la Collection Fabius ou du Musée du Louvre, s'est formée grâce aux liens étroits que le peintre entretenait en Lorraine avec les Franciscains. La confrontation de la mystique franciscaine, établie sur une tentative de prendre Dieu sans chercher à le comprendre, avec la tradition rationnelle des Jésuites, indique bien quelles options se présentaient à un artiste qui, parfaitement lucide et maître de lui, sut rester fidèle à un mysticisme profond sans jamais tomber dans l'exaltation ; si l'on considère l'extension imprévue de l'ordre des Franciscains en Lorraine dans les trente premières années du XVII° siècle, à laquelle s'ajoute l'action de saint Pierre Fourier, réformateur de la Congrégation du Saint-Sauveur, on comprend mieux que Georges de La Tour ait participé si naturellement au grand courant mys-

tique d'alors, attitude qui n'a été que mieux dessinée par les rapports du peintre avec ses clients. Toutefois, les diverses *Nativité* (Musée de Rennes, Musée du Louvre) ne négligent pas les aspects familiers de la réalité locale : le décor de la campagne lorraine leur sert de fond. Il en est de même pour les représentations du *Songe de saint Joseph* (Nantes, Musée) et du *Saint Joseph menuisier* (Paris, Louvre), qui évoquent le dur labeur des paysans de la région. Mais jamais La Tour ne s'attendrit ni ne compatit, à la manière d'un Le Nain, sur le sort des déshérités.

A vrai dire, s'il fut le peintre des paysans, il le fut surtout des paysans propriétaires. Est-ce l'aisance de sa situation personnelle, sa position sociale élevée qui contribuèrent à l'éloigner de la multitude ? Il faudrait plutôt voir dans son attitude à cet égard une disposition naturelle à maîtriser son émotion par le choix d'images très élaborées qui lui interdisait de tomber dans l'émotion facile. Malgré l'existence dans son œuvre de scènes incontestablement tirées de la vie la plus humble, mises en relief par des effets de lumière, son style n'est pas celui d'un peintre de la réalité brute : dans un tableau comme l'ensorcelante *Bonne Aventure* (Metropolitan Museum de New York), on ne lit qu'ambiguïtés et réticences. Ailleurs, le personnage principal, envahissant et presque hypertrophié, communique son souffle épique à la sobriété du décor (le *Joueur de vielle* du Musée de Nantes, le *Saint Joseph menuisier* du Musée du Louvre) [...] La Tour s'accorde le droit d'ignorer les contingences, conférant ainsi à ses œuvres un caractère en quelque sorte intemporel, toujours plus sobre et plus concis, comme dans le *Nouveau-né* du Musée de Rennes, la *Madeleine à la veilleuse* ou le *Saint Joseph menuisier* du Musée du Louvre. Les qualités toutes particulières de clarté et de rigueur cartésienne, puisant aux sources du classicisme français, s'affirment peu à peu [...]

Ces blocs de pierre granitique que sont la femme de Job dans le cruel "*Prisonnier*" d'Épinal, ainsi que les pleureuses aux silhouettes géométriques de la toile de Berlin (*Sainte Irène pleurant saint Sébastien*) obéissent rigoureusement aux canons esthétiques et aux nécessités de style de la peinture française.

ANNA OTTANI CAVINA, La Tour, Milan, 1966 - Paris, 1967

Des influences ? Des analogies ? En fait, une originalité déconcertante [...] Peut-être ses créations religieuses ont-elles tellement frappé qu'elles ont mené à négliger un autre aspect de son art [...] La Tour, il faut l'admettre, porte son regard sur un monde terre à terre, avec une ironie et un détachement impitoyables. Les êtres qu'il peint sont tendus, avides, concentrés, cruels. Il leur arrive d'être vêtus somptueusement, avec des tonalités vives et bigarrées, mais non sans excentricité. Ou bien, ils portent des étoffes rêches, ternes, raides, délavées, effrangées, déchirées, avec de grosses courroies de cuir, et par endroit un luxe de pacotille, une petite fantaisie, un clinquant doré, des boutons de verre. Mi-bourgeois, mi-paysans, comme La Tour, ils sont attentifs, madrés, bonasses, et parfois ils semblent indifférents, ils s'inclinent, ils se voûtent, mais ils sont aux aguets, prêts à se redresser ; parfois aussi ils sont chargés d'une mélancolie lucide, et les vielleurs aveugles qui chantent au soleil respirent l'ardeur de vivre. Les dernières découvertes, tout en obliques divergentes, révèlent des êtres penchés, qui semblent

tituber, décarcassés, anguleux comme des insectes. Ici des soldats, qui ne sont que des enfants, sont pris par la passion du jeu. Là, le "civil" effaré est la proie de guerriers à l'affût, menaçants et méprisants. Comme pour tout le XVII° siècle, il y a du fauve chez La Tour et ses héros, mais aussi une lutte, un exercice ascétique pour garder liberté et maîtrise de soi. Tel est le sens des œuvres religieuses, et on voudrait mieux connaître son évolution artistique et savoir si elle correspond à une évolution spirituelle.

Le *Tricheur* et la *Bonne aventure* définissent une première manière : éclairage diurne, sujet profane à visée morale, abondance des détails, diversité des couleurs, minutie calligraphiée de la facture. Le *Reniement de saint Pierre* de 1650 conclut la dernière manière : élimination des motifs inutiles, tendance au camaïeu, scène nocturne, non pas un papillottement de petits éclats lumineux comme d'autres caravagesques, mais l'effort réussi pour rendre une atmosphère lumineuse vibrante, tremblante, rougeoyante. La Tour s'inspire d'une gravure flamande des années 1630 et il a sans doute traité à plus d'une reprise le même thème, mais il a su le rendre plus inquiétant en opposant à la servante plus méfiante un saint Pierre plus craintif. A cette œuvre de 1650, ne faut-il pas rattacher le tableau d'Epinal et les deux récentes découvertes ?

[...] De toute façon, le visiteur sera conquis par la vitalité orgueilleuse des créations réalistes. Mais il sera peu à peu envoûté par les nuits mystiques, et il est certain qu'elles correspondent à l'idéal religieux des fils de saint François. Ces êtres saints deviennent semblables aux Lorrains du temps de l'artiste, ou bien ils sont séparés du monde et vivent dans une solitude monacale. Rien pour plaire, rien pour attirer l'attention. Des gestes lents, une concision qui est le secret du classicisme français, des méditations, voire de l'extase, le rejet du monde et de ses vanités, le Memento mori, de la douleur, mais l'acceptation de la souffrance, et la compassion, une inépuisable douceur. Pour rendre plus sensibles des émotions plus suggérées que décrites, de pauvres lumières dans la nuit. La flamme d'une chandelle, nous dit G. Bachelard, nous force à imaginer, elle est image de solitude, de calme, de paix. Et son élan vertical n'encourage-t-il pas l'âme à s'élever vers l'au-delà ?

FRANÇOIS-GEORGES PARISET, "Georges de La Tour...",
in Plaisir de France, n. 399 (mai 1972), p. 9

[Un] réalisme minutieux [...] décrit avec une évidente satisfaction de virtuose les rides, les veines, les affaissements d'un épiderme de vieillard, pose en trompe-l'œil une mouche près de l'instrument du *Vielleur* de Nantes, rend avec une perfection, rare chez les Français, le moelleux d'un velours, le brillant du satin, les ramages d'une broderie, pique une étourdissante plume orange sur le toquet du jeune nigaud du *Tricheur à l'as de carreau*. En vérité, voilà un dieu de la peinture pure et l'on comprend que Stendhal devant lui ait pensé à Vélasquez.

Il faudrait ajouter que ce prestigieux savoir-faire s'accorde parfaitement au caractère des sujets traités. Quels visages, quels regards ! Quelles coulisses et quels jeux pervers suggère le ballet de ces mains qui semblent vouloir courir partout et se loger là où il ne faut pas ! Caravage seul n'explique pas cela et l'on peut se

13

demander dans quels tripots, dans quels bouges La Tour est allé chercher ces personnages, rutilants et empanachés, dont la présence est d'autant plus inquiétante qu'ils apparaissent brusquement, comme si l'on avait tiré un rideau, dans un décor dépourvu de tout accessoire et de toute circonstance.

Regardez, dans la *Bonne Aventure*, l'expression de l'Egyptienne et le profil crépusculaire de la jeune esclave de roman barbaresque. Et, dans le *Tricheur*, auquel on revient toujours, quel complot prépare la Sémiramis de carrefour qui trône au centre de la composition? Ces tableaux ne sont pas seulement des scènes de genre; il y a en eux un je ne sais quoi d'équivoque et de sournois qui laisserait supposer au peintre, si l'on avait le goût des romans, une jeunesse d'étranges aventures. "*Ce discours, mon frère, sent le libertinage.*" Ces vêtements sont la parure du diable.

Puis vient l'époque des chandelles, la chandelle d'Orgon, qui valut sans doute à La Tour bien des commandes et dont il fit un système. Faut-il supposer une conversion, ou qu'il travailla dans un autre milieu, pour une autre clientèle? Ou encore attribuer à l'influence d'un ordre religieux le caractère assez particulier de la piété qu'illustre son œuvre? Une piété simple et rustique qui propose des images d'espoir, de renoncement et de repentir, met en présence la vieillesse et l'enfance, s'attache aux personnages les moins "brillants", si l'on peut dire, de l'Ecriture, interprète avec une audace tranquille le surnaturel et l'épisode sacré en termes de vie familière: l'*Adoration des bergers*, l'*Ange apparaissant à saint Joseph*, le merveilleux *Nouveau-né* du musée de Rennes. Cette piété ne dépasserait pas les bornes de la dévotion domestique et paraîtrait presque provinciale sans l'élégance souvent très recherchée des types, des gestes et des détails vestimentaires, sans le fabuleux clair-obscur, surtout, qui donne à l'œuvre la dignité, la gravité imposante des méditations spirituelles. Une méditation fort austère, un peu raide, quelquefois déconcertante par le caractère énigmatique des sujets, qui tombent à côté du grand art et sont traités avec une sorte de paradoxal détachement.

La noblesse déchirante du drame n'apparaît pas chez ce contemporain de Corneille, on ne lui voit guère d'imagination et il n'a ni l'éclat, ni le feu, ni les grands cris, ni la passion sauvage et géniale de Caravage. Et, je vous en prie, n'allons pas jusqu'à Rembrandt. Mais à travers le regard de la *Madeleine aux deux flammes*, à travers le geste d'une bizarrerie exquise de l'*Ange apparaissant à saint Joseph*, à travers celui de la femme de Job, à travers son grand manteau rouge et son visage de lune, quelque chose est dit, dans le silence, la nuit, l'obscure rencontre du malheur et de la pitié, qui n'est dit nulle part ailleurs, ni dans un autre siècle ni dans un autre pays.

André Fermigier, "Un dieu de la peinture pure", in *Le Nouvel Observateur*, n. 392 (15-21 mai 1972), p. 61

On doit prendre garde au fait que le thème attendrissant et grave de *Saint Sébastien soigné par Irène* n'est pas de l'invention de La Tour,

ni même l'idée d'en faire un nocturne. Des dizaines d'églises ont fait alors l'acquisition d'une de ces compositions tendrement dévotes, commandées à des maîtres en renom ou à des Caravagistes de passage. L'ouvrage de La Tour est d'une sobriété, d'une noblesse proprement merveilleuses; il accentue par le glissement des lumières le caractère sculptural des formes, tournées dans le bois ou taillées dans le calcaire, comme des statues romanes. Une inspiration prenante, s'exerçant comme au ralenti, joue avec une sorte de virtuosité de tous les ressorts émouvants de la peinture. Les analogies, les croisements, les reprises formelles commandant l'organisation de la scène. L'arbre colonne à gauche équilibrant la pleureuse verticale de droite est enlacé d'une courbe, et cette spirale "rime" avec les entrelacements de la flamme qui couronne la torche.

Le "ténébrisme" est ici une sorte de clef musicale, donnant d'emblée une tonalité émotive au tableau. Les couleurs affaiblies, assourdies, se subordonnent à des nappes d'ombre, aux projections blafardes de la torche. Ce procédé de découpage, manié ici avec une autorité tranquille, donnait au peintre la possibilité de faire jouer librement les détails rares: une collerette, un bijou, la transparence d'une main, la courbe d'un plat métallique. La Tour a admirablement compris que le "luminisme" demandait une simplification de motifs, une espèce de raréfaction des gestes, une limitation stricte des accents. Son opposition aux autres "caravagistes", et d'abord ceux d'Utrecht (Honthorst, Terbruggen) dont il est parfois nécessaire de le rapprocher, est beaucoup plus sévère dans le recours à ce parti, et c'est là ce qui fait passer du procédé pictural à une poétique. Ce qui nous apparaît comme un effort de dépouillement, d'une haute valeur spirituelle, n'est peut-être d'abord que la conséquence d'une certaine logique artistique.

Deux versions du *Saint Sébastien* en hauteur – entre lesquelles il est vain de vouloir décider –, une version en largeur (copie, Musée d'Orléans, dont il existe beaucoup d'autres exemplaires). Cette situation n'est pas propre à une toile, elle se répète dans un si grand nombre de cas qu'il faut bien y voir la règle. Il ne s'agit pas de faux, bien entendu, mais de doubles ou triples versions prolongées par des copies (intérieures ou extérieures à l'atelier). Pratique apparemment bizarre et compliquée, mais qu'expliquent assez bien les conditions de la commande et les usages du XVIIe siècle [...] Les trois superbes *Madeleine* montrent bien qu'il s'agit de variations, extraordinaires de virtuosité et d'aisance, autour d'un même thème. Jamais cette formule de thème et variation n'a été plus évidente et plus brillamment exploitée [...] Chaque fois une trouvaille de mise en scène subjugue l'attention: le reflet du crâne dans la *Madeleine au Miroir*, le reflet de la bougie dans la *Madeleine aux deux flammes*, la nature morte de la *Madeleine à la veilleuse*. Les trois tableaux s'établissent dans une enveloppe d'ombre que crève une flamme. Quelque chose d'immémorial et de prenant – un symbole à la fois de la pensée, du silence et de la fragilité – s'associe aux jeux des formes. Une emblématique se dé-

finit. Le rapprochement inespéré des trois versions permet d'en apprécier de façon convaincante la nature et la valeur.

André Chastel, "La Tour perdu et retrouvé", in *Médecine de France*, n. 233 (juin 1972), p. 53

... Cet univers étroit qui a "l'homme pour seul héros", statique, sans fond, où le regard n'est jamais distrait par quelque détail incongru, c'est celui d'un classique du XVIIe siècle; cette économie de moyens, c'est celle de Racine utilisant un vocabulaire réduit à quelques centaines de mots; ces visages graves, ce sont ceux du Champaigne de Port-Royal; ces compositions faites de quelques grandes masses, n'est-ce pas l'ambition du Poussin des années 40? Et cette émotion intériorisée et parfaitement contrôlée, cette pudeur, ne se retrouvent-elles pas tout au long du siècle? Comme cette gravité et cette tristesse qui caractérisent tant de tableaux français du XVIIe siècle, de Valentin aux Le Nain, à la différence des œuvres contemporaines italiennes ou flamandes.

Peintre à part, mais peintre de son temps, La Tour sait unir les contraires: homme avide et ambitieux, son art sait être désincarné. Souvent malhabiles, ses trouvailles le mettent parfois au-dessus des peintres les plus savants. Artiste froid, parfois antipathique, il sait aussi émouvoir. Hautain, il sait toucher. Peintre de la réalité quotidienne, il est aussi celui de l'évasion...

Pierre Rosenberg et François Macé de Lépinay, *Georges de La Tour, Vie et œuvre*, 1973, p. 42-44

L'art de La Tour témoigne sans conteste d'une contradiction fondamentale entre la délicatesse et la brutalité, entre l'indifférence et la sensibilité, l'obligeant à recourir tantôt à l'abstraction, tantôt à l'expressionnisme. Mais dans le *Vielleur* de Nantes et la *Dame à la puce* de Nancy, qui ne peuvent, pour cette raison entre autres, être fort éloignés dans le temps, ces deux aspects de sa personnalité — qui durent souvent, et de manière fort incommode, entrer en conflit — sont admirablement fondus. Ce tour de force relève du génie artistique, domaine sur lequel le critique ferait mieux de s'abstenir de tout commentaire. Le critique prend figure d'intrus dans l'univers où jaillit l'art. Maintenant que nous connaissons d'autres de ses œuvres, nous nous permettrons seulement de faire remarquer que cette faculté de détachement transparaît même dans les tableaux impitoyables (de sa première période). On ne s'en serait sans doute jamais douté si rien n'avait survécu de l'œuvre postérieure à sa phase réaliste. Et quand — de façon générale, il est vrai — il nous plongera sans merci dans l'horrible situation de sa province, il prendra néanmoins parfois du recul. Se tenant à l'écart de la misère, il traitera les chiens, les tabliers, les vielles, les plumes s'échappant de chapeaux bon marché, les plis d'un manteau (...), non comme des symboles de malheur, mais comme des formes d'une grande pureté et des harmonies de couleurs.

Benedict Nicolson, dans Bénédict Nicolson-Christopher Wright *Georges de La Tour*, 1974; trad. française, 1976, p. 42

La couleur
dans l'œuvre de
Georges de La Tour

Table des reproductions

Les chiffres arabes placés entre crochets à la suite du titre de l'œuvre, dans les légendes des planches en couleurs, renvoient à la numérotation adoptée dans le Catalogue des œuvres (p. 87-98). Les dimensions réelles du tableau reproduit sont indiquées (en centimètres) pour chaque planche.

VIEILLE FEMME San Francisco, De Young Memorial Museum [n. 3]
Ensemble (90,5×59,5 cm.).

VIEILLARD San Francisco, De Young Memorial Museum [n. 2]
Ensemble (90,5×59,5 cm.).

PL. III   LE VIELLEUR AU CHIEN   Bergues, Musée Municipal   [n. 6]
Ensemble (186×120 cm.).

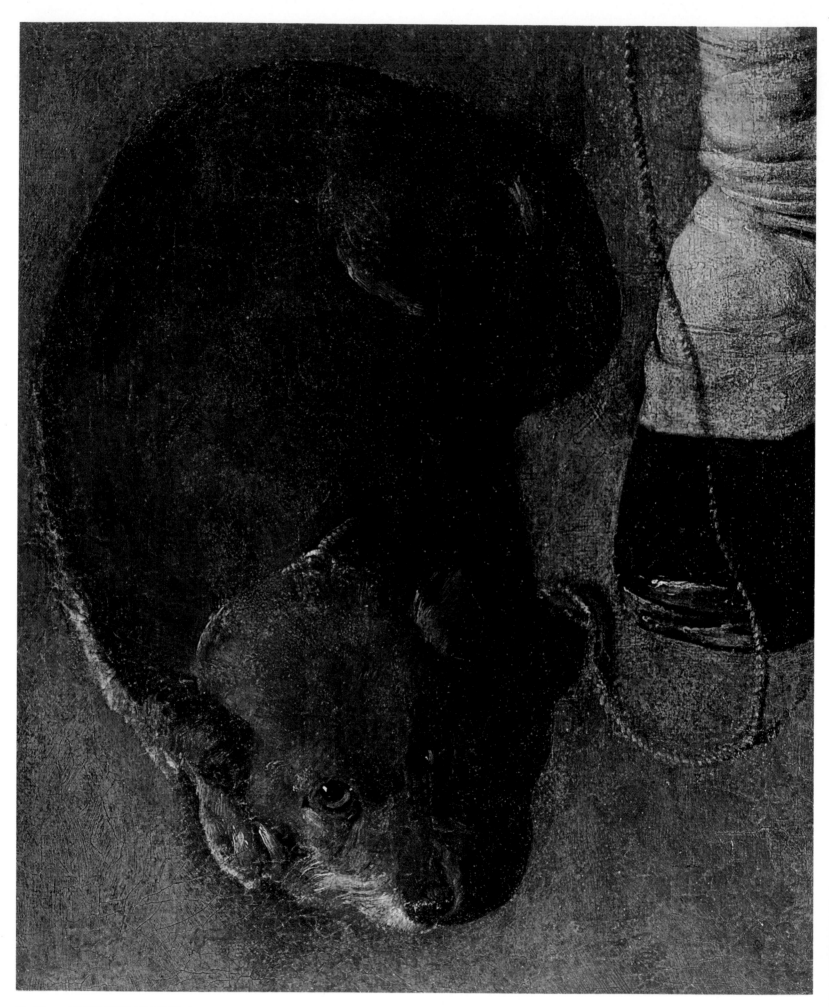

PL. IV   LE VIELLEUR AU CHIEN Bergues, Musée Municipal [n. 6]
Détail (36×29,5 cm.).

PL. V   SAINT JUDE THADDÉE   Albi, Musée Toulouse-Lautrec   [n. 17]
Ensemble (62×51 cm.).

PL. VI   SAINT PHILIPPE Norfolk, Chrysler Museum   [n. 13]
Ensemble (63 × 52 cm.).

PL. VII   SAINT JACQUES LE MINEUR   Albi, Musée Toulouse-Lautrec   [n. 12]
Ensemble (66×54 cm.).

PL. VIII-IX   RIXE DE MUSICIENS Malibu, Paul Getty Museum [n. 22]
Ensemble (94,4×141,2 cm.).

PL. X   RIXE DE MUSICIENS Malibu, Paul Getty Museum [n. 22]
Détail (agrandissement photographique).

PL. XII RIXE DE MUSICIENS Malibu, Paul Getty Museum [n. 22]
Détail (36×29,5 cm.).

LE VIELLEUR Nantes, Musée des Beaux-Arts [n. 25]
Ensemble (162×105 cm.).

PL. XIV   LE VIELLEUR   Nantes, Musée des Beaux-Arts   [n. 25]
Détail (39,5×32,5 cm.).

SAINT JÉRÔME PÉNITENT AU CHAPEAU CARDINALICE   Stockholm, Nationalmuseum   [n. 26]
Ensemble (153×106 cm.).

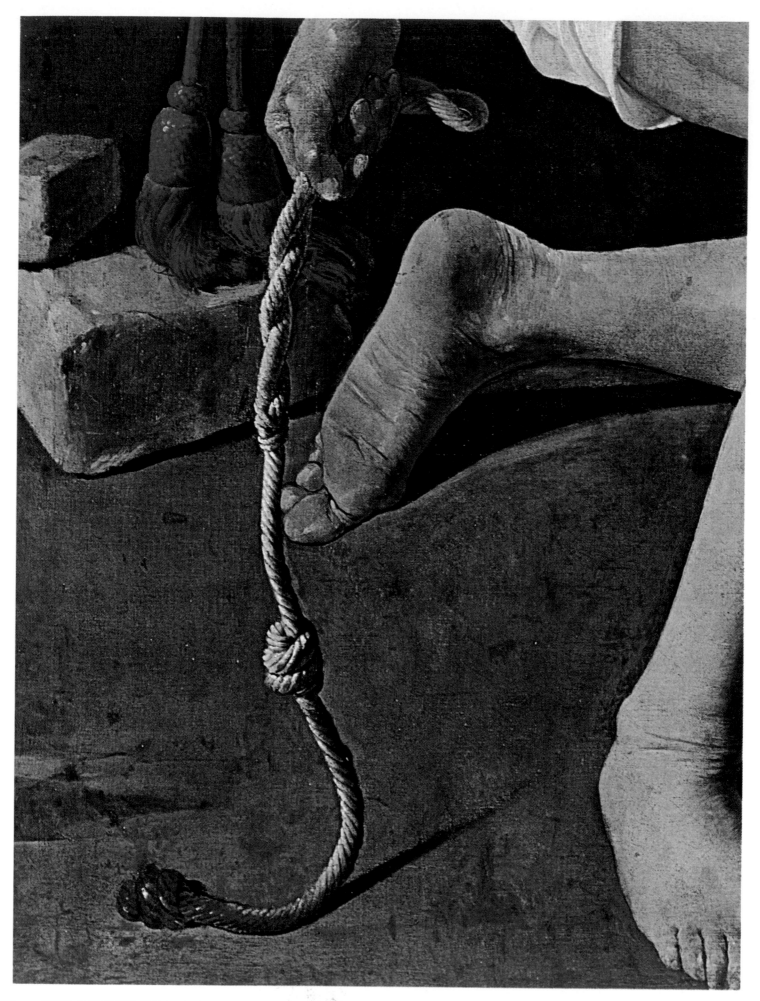

PL. XVI   SAINT JÉRÔME PÉNITENT AU CHAPEAU CARDINALICE Stockholm, Nationalmuseum [n. 26]
Détail (60×44 cm.).

PL. XVII   LE TRICHEUR A L'AS DE TRÈFLE   Fort Worth, Kimbell Art Museum   [n. 28]
Ensemble (104 × 154 cm.).

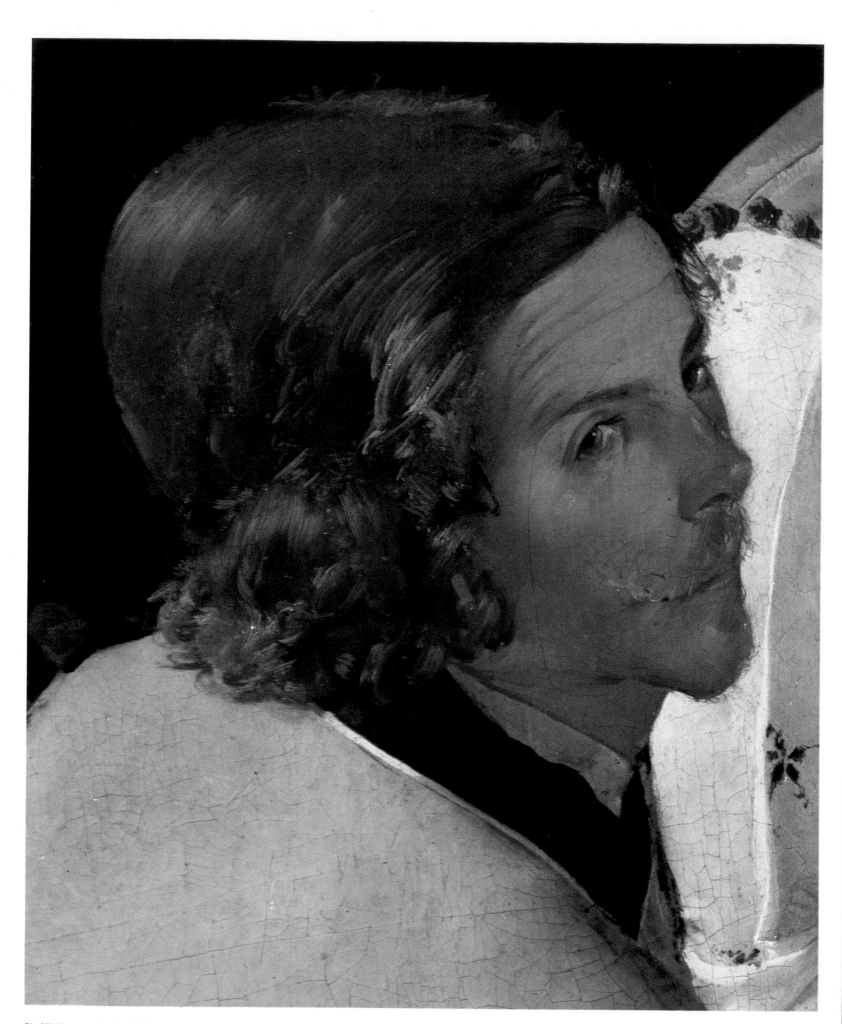

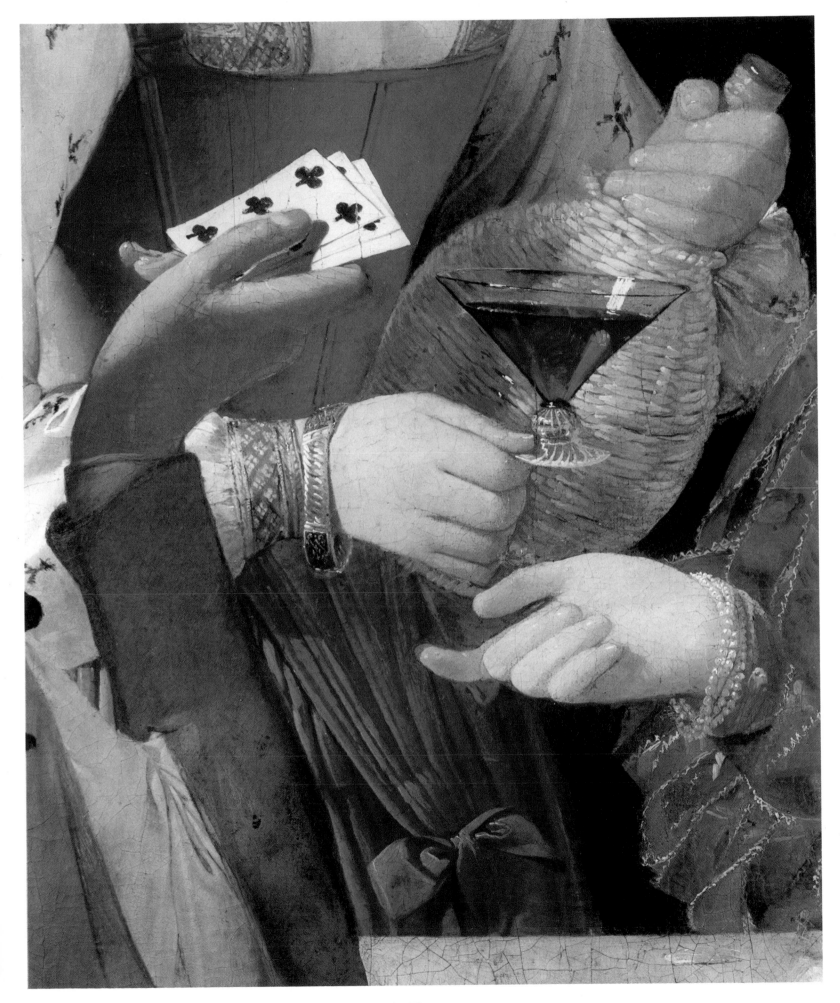

PL. XIX   LE TRICHEUR À L'AS DE TRÈFLE   Fort Worth, Kimbell Art Museum   [n. 28]
Détail (44 × 36 cm.).

LA DISEUSE DE BONNE AVENTURE New York, Metropolitan Museum [n. 29]
Ensemble (102×123 cm.).

PL. XXII   LA DISEUSE DE BONNE AVENTURE New York, Metropolitan Museum [n. 29]
Détail (30×24,5 cm.).

PL. XXIII   LA DISEUSE DE BONNE AVENTURE   New York, Metropolitan Museum   [n. 29]
Détail (30×24,5 cm.).

PL. XXIV LA DISEUSE DE BONNE AVENTURE New York, Metropolitan Museum [n. 29]
Détail (71×58 cm.).

SAINT JÉRÔME PÉNITENT À L'AURÉOLE Grenoble, Musée des Beaux-Arts [n. 31]
Ensemble (157×100 cm.).

PL. XXVII   SAINT JÉRÔME PÉNITENT À L'AURÉOLE   Grenoble, Musée des Beaux-Arts   [n. 31]
Détail (46,5×38 cm.).

LE TRICHEUR À L'AS DE CARREAU Paris, Musée du Louvre [n. 30]
Ensemble (106×146 cm.).

PL. XXX   LE TRICHEUR À L'AS DE CARREAU Paris, Musée du Louvre [n. 30]
Détail (agrandissement photographique).

PL. XXXI   LE TRICHEUR À L'AS DE CARREAU   Paris, Musée du Louvre   [n. 30]
Détail (38×31 cm.).

PL. XXXII   LE TRICHEUR À L'AS DE CARREAU   Paris, Musée du Louvre   [n. 30]
             Détail (53,5×44 cm.).

PL. XXXIII   LE SOUFFLEUR A LA LAMPE   Dijon, Musée des Beaux-Arts   [n. 42]
Ensemble (61×51 cm.).

PL. XXXIV   LA MADELEINE FABIUS Washington, National Gallery [n. 39]
Ensemble (113×93 cm.).

PL. XXXV   SAINT JOSEPH CHARPENTIER Paris, Musée du Louvre [n. 43]
Ensemble (137×101 cm.).

PL. XXXVI   SAINT JOSEPH CHARPENTIER Paris, Musée du Louvre [n. 43]
Détail (36,5×30 cm.).

PL. XXXVII   SAINT JOSEPH CHARPENTIER Paris, Musée du Louvre [n. 43]
Détail (36,5×30 cm.).

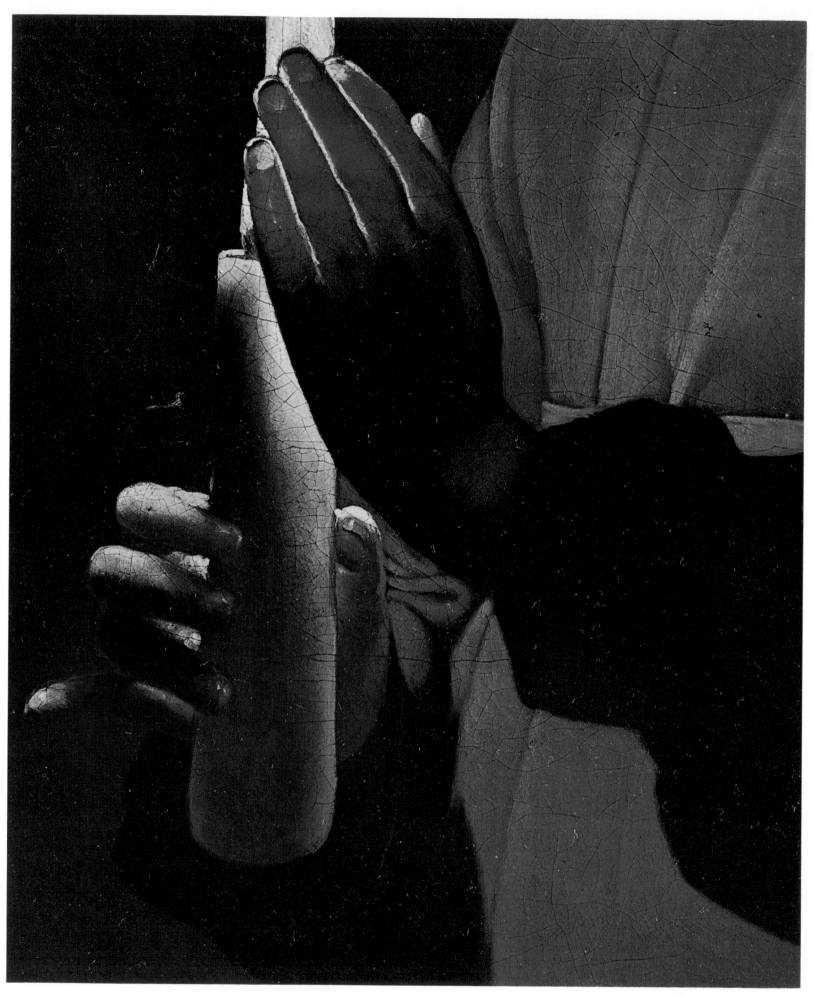

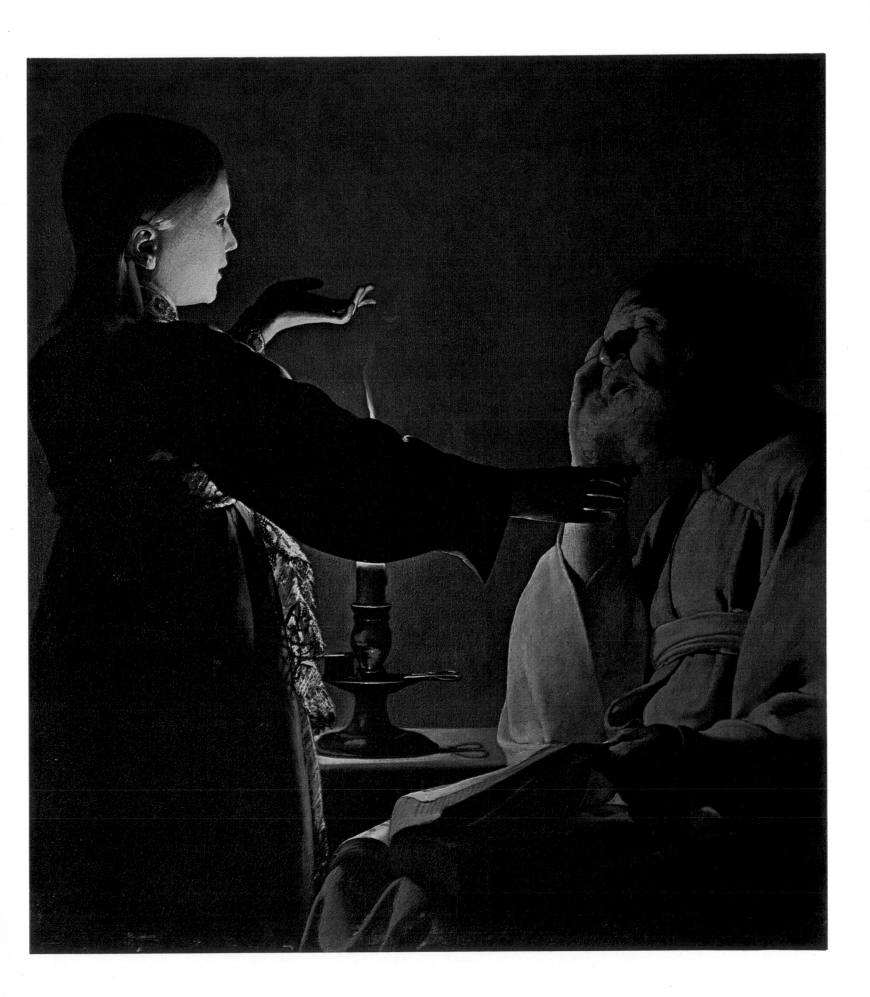

PL. XXXIX   L'ANGE APPARAISSANT À SAINT JOSEPH   Nantes, Musée des Beaux-Arts   [n. 44]
Ensemble (93×81 cm.).

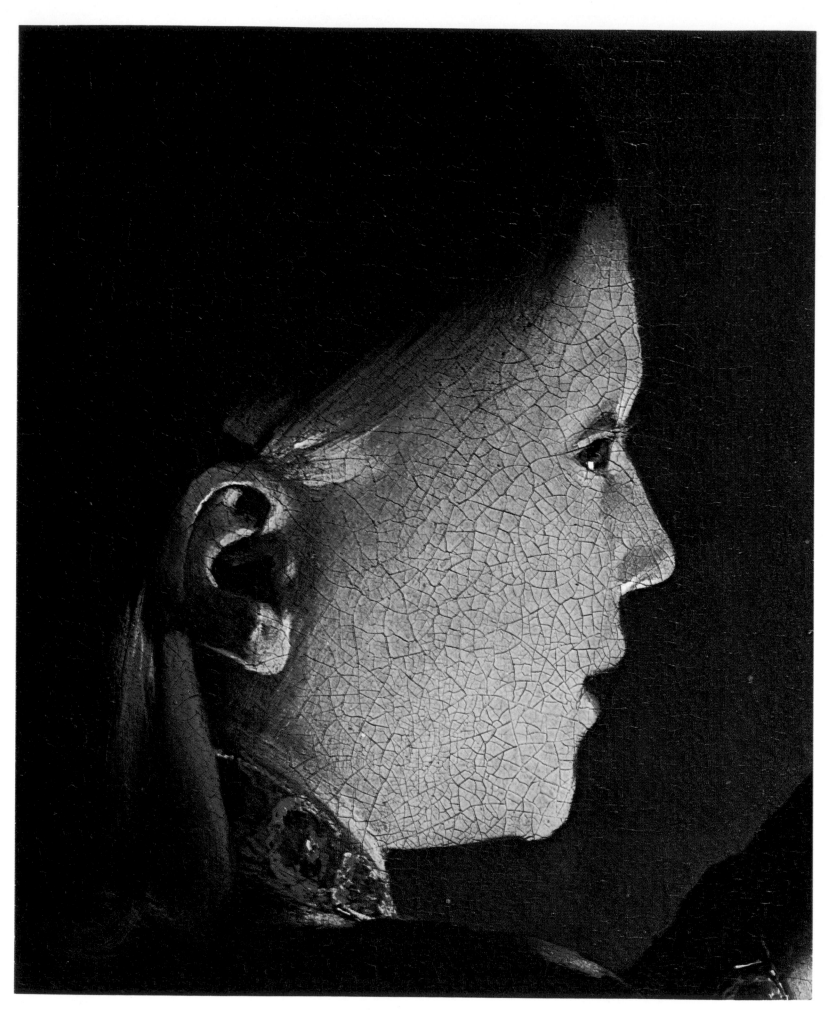

PL. XL   L'ANGE APPARAISSANT A SAINT JOSEPH Nantes, Musée des Beaux-Arts [n. 44]
Détail (agrandissement photographique).

PL. XLI   L'ANGE APPARAISSANT A SAINT JOSEPH   Nantes, Musée des Beaux-Arts   [n. 44]
Détail (36,5×30 cm.).

PL. XLII   LA MADELEINE WRIGHTSMAN New York, Metropolitan Museum [n. 45]
Ensemble (134 × 92 cm.).

PL. XLIII   LA MADELEINE TERFF Paris, Musée du Louvre [n. 47]
Ensemble (128×94 cm.).

PL. XLIV   LA MADELEINE WRIGHTSMAN New York, Metropolitan Museum   [n. 45]
Détail (54 × 44 cm.).

PL. XLV LA MADELEINE TERFF Paris, Musée du Louvre [n. 47]
Détail (47,5×39 cm.).

PL. XLVII LES LARMES DE SAINT PIERRE Cleveland, Museum of Art [n. 51]
Ensemble (114×95 cm.).

PL. XLVIII   L'ADORATION DES BERGERS Paris, Musée du Louvre [n. 50]
Détail (40×33 cm.).

PL. IL   LES LARMES DE SAINT PIERRE Cleveland, Museum of Art [n. 51]
Détail (40×33 cm.).

PL. L   LA FEMME À LA PUCE Nancy, Musée Historique Lorrain [n. 46]
Détail (49×41 cm.).

PL. LI LA FEMME A LA PUCE Nancy, Musée Historique Lorrain [n. 46]
Ensemble (120×90 cm.).

LE NOUVEAU-NÉ   Rennes, Musée des Beaux-Arts   [n. 57]
Ensemble (76×91 cm.).

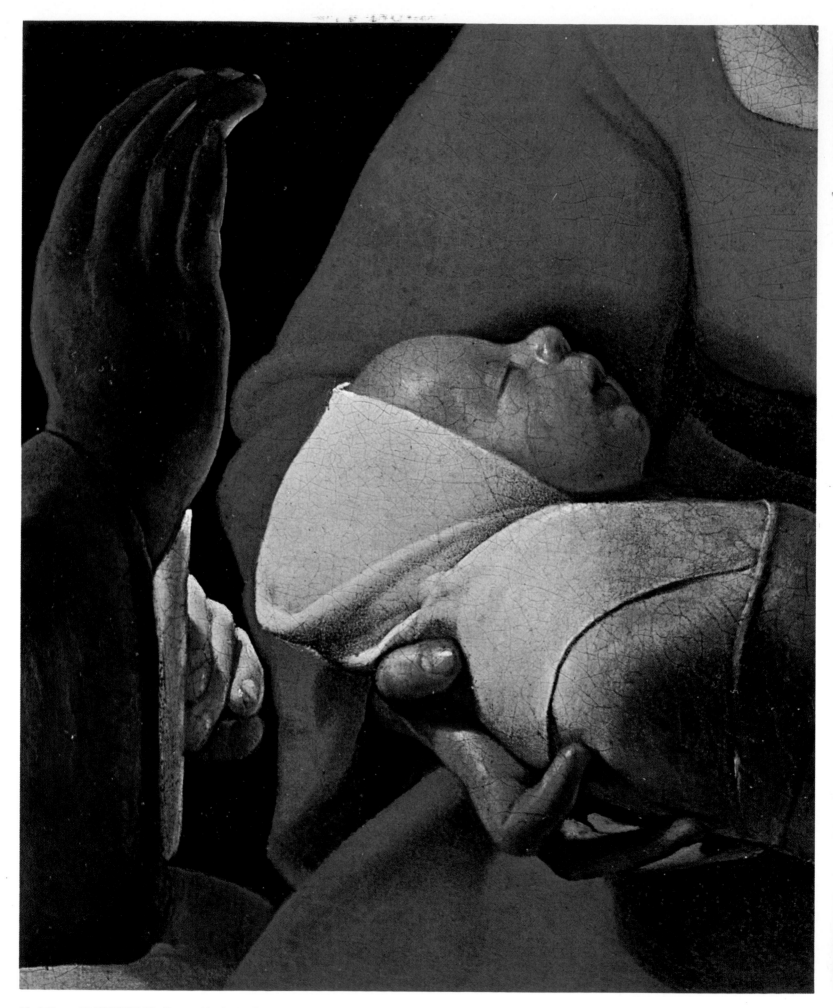

PL. LV   SAINT SÉBASTIEN SOIGNÉ PAR IRÈNE   Paris, Musée du Louvre   [n. 64]
Ensemble (167 × 130 cm.).

SAINT SÉBASTIEN SOIGNÉ PAR IRÈNE   Paris, Musée du Louvre   [n. 64]
Détail (34 × 23 cm.).

PL. LVII   JOB ET SA FEMME Epinal, Musée Départemental des Vosges [n. 66]
Ensemble (145×97 cm.).

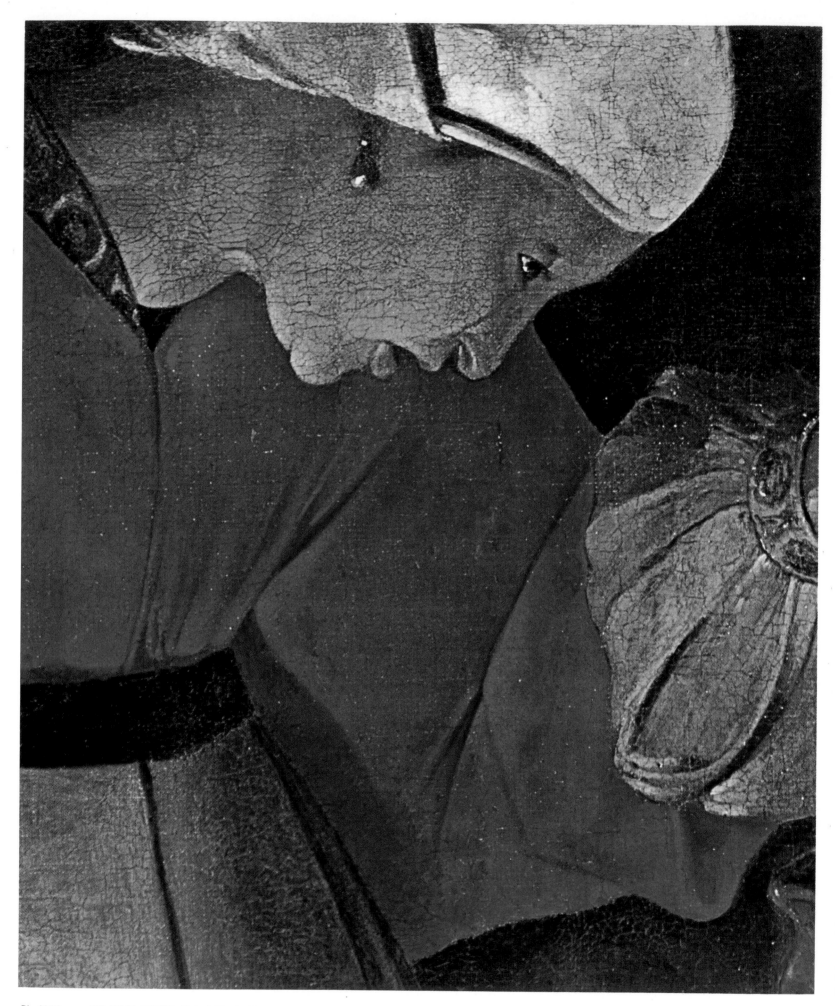

PL. LVIII JOB ET SA FEMME Epinal, Musée Départemental des Vosges [n. 66]
Détail (38×31 cm.).

PL. LIX   JOB ET SA FEMME Epinal, Musée Départemental des Vosges [n. 66]
Détail (38×31 cm.).

LE RENIEMENT DE SAINT PIERRE Nantes, Musée des Beaux-Arts [n. 68]
Ensemble (120×160 cm.).

PL. LXII   LES JOUEURS DE DÉS   Middlesbrough, Teesside, Museum   [n. 71]
Ensemble (92,5 × 130,5 cm.).

PL LXIII

PL. LXIV   LES JOUEURS DE DÉS   Middlesbrough, Teesside, Museum   [n. 71]
Détail (30,5×25 cm.).

Documentation

Afin de mettre d'emblée en évidence les caractéristiques principales de chaque œuvre, les notices comportent:

1. *un numéro d'ordre* correspondant au classement chronologique adopté par l'auteur; c'est ce numéro qui sert de référence dans tout le volume.

2. *le titre de l'œuvre;* il sera parfois suivi d'une précision permettant de distinguer les différentes versions, ou du rappel des divers titres employés par d'autres auteurs.

3. *la localisation actuelle* (ou du moins la dernière à notre connaissance); l'absence de cette indication signifie que l'œuvre a disparu depuis la dernière mention indiquée dans la notice.

4. *le degré d'authenticité* reconnu par la critique, indiqué par un signe conventionnel (cf. *infra*).

5. le cas échéant, le sigle *fr* précisant qu'il s'agit d'un *fragment.*

6. *la technique et le support* (en abrégé; cf. *infra*).

7. *les dimensions* (en centimètres, hauteur par largeur).

8. le cas échéant, *l'existence de la signature* (s).

9. le cas échéant, *la date,* lorsqu'elle est portée sur l'œuvre, ou connue de façon certaine par les documents.

10. entre crochets et précédé de l'abréviation "Or.", le numéro renvoyant au Catalogue de l'*Exposition de l'Orangerie* (mai 1972), seconde édition corrigée, lorsque l'œuvre y a été présentée; s'il s'agit d'une œuvre exposée hors catalogue, le numéro est remplacé par l'indication "hc".

Dans le cas de La Tour, dont l'œuvre est en pleine reconstitution, *nous avons cru devoir cataloguer non seulement les originaux conservés* (clairement désignés par le signe distinctif), *mais toutes les compositions dont nous gardons trace.* Celles qui sont connues par des gravures ou copies sont classées à leur place chronologique: en ce cas là la gravure ou les principales copies sont mentionnées, non pas dans le corps de la notice, mais en tête, précédées du signe distinctif, et de tout ou partie des indications ci-dessus. Celles qui sont connues seulement par les textes, mais avec mention de date, sont mentionnées également à leur place chronologique. Celles qui sont connues par des textes ne précisant pas leur date forment une liste à part (liste A, p. 99).

Degré d'authenticité

▦ Œuvre entièrement et indiscutablement autographe.

▦ Œuvre en très grande partie autographe, avec l'intervention d'assistants.

▦ Œuvre en partie autographe, avec une importante collaboration.

▦ Œuvre d'authenticité discutée, mais admise par la majorité de la critique.

▦ Œuvre d'authenticité discutée, contestée par la majorité de la critique.

▦ Œuvre récemment attribuée.

▦ Copie ancienne.

☐ Indication fournie dans le texte.

Technique et support

g	gravure	c	cuivre
des	dessin	**t**	toile
h	huile	**b**	bois

Données accessoires

d œuvre datée

s œuvre signée

fr fragment

Bibliographie essentielle

Pour récente que soit la découverte de La Tour, la bibliographie qui le concerne est déjà considérable. On trouvera dans le Catalogue de l'Exposition *Georges de La Tour,* Paris, Orangerie des Tuileries, 1972, seconde édition, p. 267-283, une liste de catalogues d'exposition, ouvrages et articles, comprenant plus de 400 titres (arrêtée au début de 1972).

La bibliographie que nous donnons ici est simplement conçue de façon à permettre une initiation commode et complète à l'art de La Tour comme aux problèmes qu'a posés et pose encore sa redécouverte.

I. Monographes récentes:

1972, P. ROSENBERG et J. THUILLIER, Cat. de l'Exp. *Georges de La Tour,* Orangerie des Tuileries, (choisir la seconde édition corrigée);

1973, F. SOLESMES, *Georges de la Tour,* Lausanne (introduction de Marcel Arland);

1973, P. ROSENBERG et F. MACE DE LEPINAY, *Georges de la Tour, Vie et œuvre,* Fribourg;

1974, B. NICOLSON et C. WRIGHT, *Georges de La Tour,* Londres (en anglais; édition en français, Bruxelles, 1976);

1979, Y. ZOLOTOV, *Georges de La Tour,* Moscou (en russe; résumé en français).

II. Etudes et documents permettant de suivre les étapes de la découverte (1652-1972):

1751, DOM CALMET, *Bibliothèque Lorraine,* t. IV;

1861, L. CLÉMENT DE RIS, *Les musées de province;* 2e éd. 1872;

1863, A. JOLY, "Du Mesnil-La Tour, peintre", *Journal de la Société d'Archéologie Lorraine,* t. XII, p. 90-96;

1900, L. GONSE, *Les chefs d'œuvre des musées de France;*

1915, H. VOSS, "Georges Du Mesnil de La Tour", *Archiv für Kunstgeschichte,* 2e année, fasc. 3-4, pl. 121-123;

1930, V. BLOCH, "Georges (Dumesnil) de La Tour (1600-1652)", *Formes,* n° X, p. 17-19;

1931, H. VOSS, "Tableaux à éclairage diurne de Georges de La Tour", *Formes,* n° XVI, p. 97-100;

1932, W. WEISBACH, *Französische Malerei des XVII. Jahrhunderts im Rahmen von Kultur und Gesellschaft;*

1934, P. JAMOT, CH. STERLING, Cat. de l'Exp. *Les peintres de la Réalité en France au XVIIe siècle,* Paris, Musée de l'Orangerie;

1935, P. JAMOT, "Le réalisme dans la peinture française du XVIIe siècle. De Louis Le Nain à Georges de La Tour...", *Revue de l'art ancien et moderne,* t. I, p. 69-76;

1935, R. LONGHI, "I pittori della realtà in Francia...", *L'Italia letteraria,* 19 janvier;

1935, F.-G. PARISET, "Textes sur Georges de La Tour à Lunéville", *Bulletin de la Société de l'Histoire de l'Art français,* p. 13-17;

1935, CH. STERLING, "Les peintres de la réalité en France au XVIIe siècle: les enseignements d'une exposition. I. Le mouvement caravagesque et Georges de La Tour", *Revue de l'art ancien et moderne,* t. I, p. 25-40;

1939, P. JAMOT, "Georges de La Tour. A propos de quelques tableaux récemment découverts", *Gazette des Beaux-Arts,* t. I, p. 247-252 et 271-286;

1942, P. JAMOT, *Georges de La Tour. Avec un Avant-propos et des Notes par* TH. BERTIN-MOUROT, Paris; 2e éd., Paris, 1948;

1948, F.-G. PARISET, *Georges de La Tour,* Paris;

1949, S.M.M. FURNESS, *Georges de La Tour of Lorraine,* Londres, 1949 (en anglais);

1950, V. BLOCH, *Georges de La Tour,* Amsterdam (en hollandais); Milan, 1953 (trad. en italien);

1950, A. BLUNT, "Georges de La Tour", *The Burlington Magazine,* n° XCII, p. 144-145;

1951, A. MALRAUX, *Les Voix du silence,* p. 373-394;

1951, CH. STERLING, "Observations sur Georges de La Tour...", *La Revue des Arts,* sept., p. 147-158;

1953, M. ARLAND et A. MARSAN, *Georges de La Tour,* Paris;

1955, H. TRIBOUT DE MOREM-BERT, "Du nouveau sur le peintre des nuits. Georges de La Tour et ses familiers", *Le Figaro Littéraire,* 6 août, p. 11;

1958, F. GROSSMANN, "A Painting by Georges de La Tour in the Collection of Archduke Leopold Wilhelm", *The Burlington Magazine,* vol. C, p. 86-91;

1961, F.-G. PARISET, "A newly Discovered La Tour: The Fortune Teller", *The Metropolitan Museum of Art Bulletin,* March 1961, p. 198-205;

1963, J. THUILLIER, chapitre "Georges de La Tour" in Thuillier-Châtelet, *La peinture française. I. De Fouquet à Poussin,* éd. Skira;

1967, A. OTTANI CAVINA, *La Tour,* Milan (en italien); Paris (en français);

1971, A. SZIGETHI, *Georges de La Tour,* Budapest (en hongrois);

1972, H. TANAKA, *L'œuvre de Georges de La Tour,* Tokyo (en japonais), résumé en français);

1972, J. THUILLIER, "Georges de La Tour: trois paradoxes", *L'Œil,* avril (n° 208), p. 2-11.

III. Jugements et apports récents (1972-1983):

1972, A. BLUNT, "Georges de La Tour at the Orangerie", *The Burlington Magazine,* vol. CXIV, p. 516-525;

1972, A. OTTANI CAVINA, "La Tour all'Orangerie", *Paragone,* novembre (n° 273), p. 3-24;

1972, H. TRIBOUT DE MOREM-BERT, "Sibylle de Cropsaux, mère de La Tour", *Gazette des Beaux-Arts,* octobre, p. 223-224;

1973, J. THUILLIER, "Georges de La Tour. Un an après", *Revue de l'Art,* n° 26, p. 57-63;

1973, H. TRIBOUT DE MOREM-BERT, "La famille de Georges de La Tour à Vic, Moyenvic et Marsal", *Le Pays Lorrain,* n° 2, p. 113-115;

1974, H. TRIBOUT DE MOREM-BERT, "Georges de La Tour, son milieu, sa famille, ses œuvres", *Gazette des Beaux-Arts,* avril, p. 205-234;

1975, F. BOLOGNA, "A New Work from the Youth of La Tour", *The Burlington Magazine,* n° 868, p. 434-440;

1976, M.-T. AUBRY et J. CHOUX, "Documents nouveaux sur la vie et l'œuvre de Georges de La Tour", *Le Pays Lorrain,* n° 3, p. 155-158;

1976, E. SCHLEIER, *Georges de La Tour essender Bauernpaar,* Berlin;

1976, P. ROSENBERG (compte rendu du livre de Nicolson-Wright), *The Art Bulletin,* septembre, p. 542-454;

1979, M. ANTOINE, "Un séjour en France de Georges de La Tour en 1639", *Annales de l'Est,* 1, p. 17-26;

1981, P. ROSENBERG, "The Fortune Teller by Georges de La Tour", *The Burlington Magazine,* p. 487-488;

1983, P. ROSENBERG, notices La Tour dans le catalogue de l'exp. *La peinture française du XVIIe siècle dans les collections américaines.*

Chronologie

Pour le détail de la vie de La Tour, nous renvoyons à la chronologie placée au début du Cat. de l'Exp. Georges de La Tour, Paris, Orangerie des Tuileries, 1972 (seconde édition, p. 57-84). On y trouvera, année par année, la mention des documents découverts à ce jour, et la reproduction, établie sur les manuscrits originaux, des principaux actes. Nous donnons ici une brève synthèse qui volontairement exclut tout fait douteux, et qui – sauf indication formelle – écarte les hypothèses, pour séduisantes qu'elles soient.

1593. Naissance de Georges de La Tour à Vic, gros bourg situé sur la Seille, en Lorraine (mais non dans le duché de Lorraine: Vic relève alors des évêques de Metz, et par conséquent du roi de France dans la mesure où l'évêché, principauté d'Empire, a été placé en 1556 sous la protection royale).
L'acte de baptême, en date du 14 mars indique qu'il est fils de Jean de La Tour, boulanger, et de Sibylle Mélian sa femme. H. Tribout de Morembert a récemment mis à jour (1972) une série de documents montrant que le contrat de mariage de Jean et Sibylle remontait à la fin de décembre 1590, que la mère de Sibylle, Marguerite Trompette, avait successivement épousé un courrier du nom de Mélian, puis un salpêtrier du nom de Demange Henry, que Sibylle elle-même était alors veuve de Nicolas Bizet, épousé en 1583, de qui elle avait deux enfants, enfin qu'on la rencontre aussi – fait qui s'explique mal – sous le nom de Sibylle de Cropsaux.
Le milieu des La Tour est celui des artisans petits propriétaires (les proches sont des maçons, des cordonniers, des couturiers, mais aussi un tabellion, un chanoine de Marsal, etc.), et jouit de quelque aisance. Toute la famille est catholique: Vic apparaît une des citadelles du catholicisme vis-à-vis du protestantisme qui s'affirme dans les environs.

1593-1605. La Tour passe certainement son enfance à Vic, où sa famille demeure installée. De 1594 à 1600 on relève la mention de la naissance de cinq frères et sœurs (en plus d'un frère aîné qui était né en 1591).

vers 1605-1610. On ignore ce qui décide de la vocation de La Tour, comme l'atelier où il fait son apprentissage. Une première formation à Nancy, où se trouvent établis de nombreux peintres, dont Bellange et Claude Israël, apparaît vraisemblable.

vers 1610-1616. Le premier apprentissage terminé, La Tour se rend-il dans un centre important? Un séjour en Italie, contesté par plusieurs auteurs, nous semble presque certain, car tous les jeunes Lorrains du temps, François de Nomé, Didier Barra (le futur Monsù Desiderio), Claude Deruet, Jean Leclerc, Jacques Callot, Claude Gellée, etc., font le voyage outremonts. Mais on ne peut jusqu'ici faire sur ce séjour que des suppositions. Seule une mention du début du XVIIIe siècle (un manuscrit relatif à l'abbaye de Saint-Antoine de Viennois) déclare La Tour "élève du Guide" [Reni]: mais rien ne permet de savoir si l'auteur disposait d'une source sûre, ou usait simplement d'une de ces qualifications génériques fréquentes à l'époque.

1616. Georges de La Tour est de retour à Vic. Il y apparaît pour la première fois dans les documents, le 20 octobre, comme parrain de la fille d'un voisin. Désormais les mentions vont se multiplier.

1617. Mariage de La Tour avec Diane Le Nerf; le contrat (retrouvé) est passé le 2 juillet. La dot reste modeste, mais le mariage est certainement fort brillant pour le fils du boulanger. Diane, qui semble née en 1591, est fille de noble Jean Le Nerf, argentier du duc de Lorraine résidant à Lunéville. Par ses nombreux frères, sœurs, cousins et parents, elle est alliée à toute la noblesse locale et aux notabilités du pays. Elle introduit directement La Tour dans un milieu de petits seigneurs, échevins, gens de loi, etc., et lui permet d'espérer une rapide ascension sociale.

1619. Naissance du fils aîné de Georges, Philippe, lequel ne semble pas vivre longtemps. Le père de Georges, Jean de La Tour, vient de mourir (1618); son beau-père, Jean Le Nerf, également (30 juillet 1618). Désormais chef de famille, La Tour, qui selon la tradition locale semble d'abord être demeuré chez ses parents avec sa femme, doit envisager un établissement définitif, facilité sans doute par le double héritage.

1620. Il obtient, pour se transporter dans le pays de sa femme, Lunéville (cité qui relevait cette fois du Duché), des lettres d'exemption accordées par le duc de Lorraine Henri II (en date du 10 juillet). Pratiquement, elles lui confèrent des privilèges voisins de ceux de la noblesse. La Tour ne se fixe donc pas à Nancy (où les places officielles sont prises et la concurrence considérable), mais dans cette résidence favorite des ducs, qui y font alors bâtir un important château. La Tour s'installe aussitôt et embauche un apprenti, Claude Baccarat (contrat passé le 19 août). Il retrouve à Lunéville les parents de sa femme, qui semblent devenir ses intimes, notamment la famille d'Etienne Gérard, notaire.

1621. Naissance d'Etienne (baptisé le 2 août), second fils de La Tour, le seul qui atteindra l'âge d'homme.

1623. La renommée de La Tour doit commencer à s'établir et déjà lui apporter l'aisance. Le duc Henri II lui achète une toile (12 juillet) pour 123 francs, puis une autre au début de 1624 pour 150 francs (une "Image saint Pierre"; cf. n. 4). Le peintre acquiert de sa belle-mère l'importante propriété dite "de la Licorne" pour un prix considérable de 2.600 livres (7 décembre).

1625-1631. Période heureuse, où La Tour semble à la fois développer sa célébrité et sa fortune. De nombreux documents retrouvés (naissance de plusieurs garçons et filles, actes de baptêmes où Georges et Diane sont parrain ou marraine, contrats d'apprentissage pour l'embauche d'apprentis, actes notariés de toute nature) témoignent de la présence du peintre à Lunéville et de son activité (toutefois avec des lacunes qui n'excluent pas la possibilité de voyages). En revanche on n'a découvert jusqu'ici ni document ni date qui renseignent sur sa production, sans doute considérable.

1626. Un curieux document signale que la commune paye 1 gros 8 deniers à un serrurier du lieu "pour avoir arraché la serrure du grenier La Tour, peintre, pour faire livrer les grains étant audit grenier aux pauvres, et pour avoir fourni un cadenet (cadenas)". Le texte a donné lieu à maint commentaire peu favorable à La Tour. Il doit être interprété prudemment, car il semble que la même année La Tour prête à la commune une autre dépendance (une grange), et il n'est pas spécifié que les grains lui appartenaient. Toutefois on ne peut exclure que La Tour soit déjà assez à son aise pour figurer parmi ces bourgeois qui – on se trouve en période de disette – accumulent les grains par crainte de l'avenir ou pour pouvoir spéculer, et que les municipalités, souvent sous la pression populaire, forcent à mettre leurs provisions en vente à un prix fixé.

1631-1635. La situation de la Lorraine se complique: les intrigues du duc Charles entre l'Empire et la France deviennent de plus en plus périlleuses, et conduisent peu à peu à la guerre. Lunéville, place de garnison, est constamment menacée, les environs sont ravagés par les troupes. D'autre part la peste sévit dans le bourg même (1631, 1633). L'activité artistique de La Tour doit en souffrir considérablement. Du moins sa fortune semble-t-elle lui permettre de profiter des difficultés pour bénéficier de spéculations.

1636. Au début de l'année, La Tour embauche un nouvel apprenti, son neveu François Nardoyen (contrat en date du 28 février): il semble donc envisager, malgré la gravité croissante des événements, de continuer à travailler à Lunéville. Le 28 mars le gouverneur français de Lunéville, le capitaine Sambat de Pédamond, est parrain de sa fille Marie. Mais à la fin d'avril la peste éclate à nouveau, la maison même de La Tour est touchée, son neveu meurt.

fin 1636-1643. A partir de ce moment, durant six ans, les mentions de La Tour à Lunéville ou en Lorraine, sans disparaître entièrement, se font singulièrement rares (alors qu'apparaissent celles de son fils Etienne et de sa fille Claude). On a l'impression que la famille n'a pas quitté la Lorraine, mais que Georges n'y revient que par intermittence, pour surveiller propriétés et intérêts et régler les affaires pendantes.
Aussi bien la situation est-elle devenue tragique. La guerre sévit. En 1638 la ville est mise à feu et pillée, il n'y demeure que trente familles. Dans l'incendie, dans le ravage des églises et couvents des environs, doit disparaître la plus grande partie de la première production de La Tour.
On ne pouvait guère douter que ce dernier, dans un moment où la Lorraine offrait si peu de ressources pour un peintre, fût allé chercher fortune à Paris, comme beaucoup d'autres Lorrains. D'autant qu'en décembre 1639, dans un acte de baptême qui le montre parrain à l'église Saint-Sébastien de Nancy, on lui décerne le titre de "peintre ordinaire du Roi" (c'est-à-dire de Louis XIII). L'hypothèse avait pourtant été vivement combattue. Preuve irréfutable, Michel Antoine (1979) a découvert dans les comptes royaux du premier trimestre 1639 une mention concernant Georges de La Tour et portant versement de 1000 livres "pour le voyage qu'il est venu faire de Nancy à Paris pour affaires concernant le service de Sa Majesté, y compris son séjour de six semaines et son retour". La Tour dut même travailler quelque temps à Paris, et probablement être logé par le roi aux galeries du Louvre (autre acte en date de 1640). Il y fit hautement apprécier ses œuvres. Dom Calmet rapporte (1751) qu'"il présenta au roi Louis XIII un tableau de sa façon, qui représentoit un Saint Sébastien dans une nuit; (...), pièce (...) d'un goût si parfait que le Roi ôter de sa chambre tous les autres tableaux pour n'y laisser que celui-là". Tout donne à penser que ce don a quelque rapport avec l'octroi du brevet de peintre ordinaire du roi. D'autres tableaux figurent dans les grandes collections parisiennes: notamment un *Saint Jérôme* en place d'honneur chez Richelieu (avant 1643), un *Saint Pierre repentant* chez le surintendant des finances Bullion (avant 1641), et plus tard des nuits chez Le Nôtre, Louvois, Boulle, etc.
Toutefois il semble que La Tour ne se soit jamais durablement établi à Paris: il gardait en Lorraine trop d'intérêts. Comme un Callot ou un

1. - *Registre des baptêmes de Lunéville pour l'année 1644 (Archives municipales). On lit à partir de la deuxième ligne: "Le jeune Monsᵉ de la Tour fils de Monsᵉ George de la Tour peintre fameux" (voir année 1644).*

Deruet, il doit se contenter d'allers et retours fréquents: d'où le "facteur" (c.-à-d. représentant) dont il est fait mention à Paris en 1640. A partir de 1641, on le retrouve de plus en plus à Lunéville, impliqué dans plusieurs procédures judiciaires. En avril 1642, il doit lutter contre la municipalité qui refuse de reconnaître son privilège a exemption de taxes, et s'y prend de manière forte: le sergent chargé de l'exploit se plaint qu'il lui "a donné un grand coup de pied et fermé la porte, disant avec colère que le premier qui entrerait plus avant, il lui donnerait un coup de pistolet". D'où nouveau procès.

1643. Après avoir connu les pires misères (pestes, pillages, famines), les plus terribles excès (sorcellerie, anthropophagie, délires collectifs) et les plus hauts dévouements (missionnaires, médecins), la Lorraine revient peu à peu à des temps plus calmes. L'autorité française y consolide sa domination. Un nouvel apprenti, Chrétien George, est engagé le 16 septembre 1643: signe manifeste que la décision est prise de se réinstaller complètement; et au début de l'année suivante on verra La Tour louer la commanderie de Saint-Georges, vaste domaine avec maison, terres et chapelle, qui relève de l'ordre de Saint-Jean-de-Jérusalem: mais peut-être est-ce surtout à cause des droits de franchise qui s'y attachent.

1644. Sur un acte de baptême — fait sans exemple — La Tour est désigné comme "Monsʳ Georges de La Tour peintre fameux" (fig. 1): ce qui prouve que les "années terribles" n'ont aucunement nui à sa renommée, bien au contraire.

A la fin de l'année il exécute la première des toiles que la ville va s'accoutumer à offrir en cadeau de bonne année au Gouverneur de la Lorraine (représentant du roi de France, le duc demeurant en exil), La Ferté-Sennectère, grand amateur de peinture, qui semble apprécier les œuvres de La Tour non moins que celles de Deruet. La liste s'en établira ainsi (nombreux documents conservés):

fin 1644: une "Nativité Notre-Seigneur", payée 700 fr. (cf. n. 49).

fin 1645: un sujet inconnu, payé 600 fr.

fin 1646: pas de tableau? (aucun document retrouvé).

fin 1647: pas de tableau (présent de 600 fr. en argent).

fin 1648: une "Image Saint Alexis", payée 500 fr. (composition de Nancy? cf. n. 60-61).

fin 1649: un "tableau de saint Sébastien", payé 700 fr. (composition de Bois-Anzeray? cf. n. 63-64).

fin 1650: un "Reniement de saint Pierre", payé 650 fr. (le tableau de Nantes, signé et daté de cette même année? cf. n. 67-68)

fin 1651: un sujet inconnu, payé 500 fr.

1645. La Tour signe et date les *Larmes de saint Pierre* du musée de Cleveland (n. 51), l'un des deux seuls tableaux datés que l'on ait retrouvés.

1646. Etienne, qui atteint sa majorité — 25 ans — est pour la première fois mentionné comme peintre. Il semble que désormais Georges associe étroitement son fils à tous ses faits et gestes, qu'il s'agisse d'affaires ou sans doute de peinture.

De cette même année date une requête adressée par les habitants de Lunéville au duc de Lorraine, toujours en exil à Luxembourg, mais qui garde une autorité qui n'est pas seulement nominale et mène contre les Français une guerre administrative dont ils s'efforcent de tirer parti. Ce document fameux mentionne Georges de La Tour en termes qui ont scandalisé (cf. supra, *Introduction*). On ne saurait guère mettre en doute le portrait de La Tour qu'il évoque: l'un des trois riches propriétaires de Lunéville en dehors des couvents, grand amateur de chiens et de chasse, et jouant au hobereau avec d'autant plus d'obstination qu'on se souvient qu'il n'est pas réellement noble et n'a aucun droit à se conduire en "seigneur du lieu". Mais la sévérité du jugement s'explique peut-être d'abord par l'ensemble du placet (une demande de suppression des exemptions), rédigé pour plaire au duc et chargeant manifestement ceux qui ont les faveurs des autorités francaises: or La Tour semble fort apprécié du Gouverneur...

1647. Etienne se marie (contrat en date du 23 février) avec Anne Catherine Friot, fille d'un opulent marchand de Vic. On notera que l'acte qualifie Georges de "Peintre et pensionnaire du Roy": mais rien n'est jusqu'ici venu confirmer ce dernier titre. Il semble que La Tour soit toujours plus actif, plus occupé à ses affaires.

1648. La Tour, à 55 ans, doit demeurer en pleine force physique, si l'on en croit un document, assez peu explicite, parlant des "coups de bâton" qu'il a administrés à un garde de la commune, Drouin Bastien.

En août meurt sa fille Marie, âgée de douze ans, victime de "la petite vérole". Sur les dix enfants connus, six autres, de qui l'on ne retrouve aucune trace, avaient dû mourir dès avant 1640 (les registres de décès manquent malheureusement entre 1625 et cette dernière date).

En septembre, il se rend à Vic pour prendre un nouvel apprenti, le seul qui semble avoir possédé une personnalité véritable, Jean-Nicolas Didelot, neveu du curé de Vic. Le contrat, en date du 10, prévoit que le jeune garçon servira au besoin de modèle, et ses fonctions apparaissent celle d'un page non moins que d'un apprenti peintre. Il semble que La Tour soit toujours plus actif, plus occupé à ses affaires. Il a besoin de quelqu'un pour "panser son cheval soir et matin", pour aller "en campagne porter quelques lettres", pour "avoir soin de sa personne" comme "de son cheval" dans ses déplacements, qui paraissent fréquents. D'autre part le contrat spécifie qu'en cas de décès de Georges, le jeune Jean-Nicolas sera mis sous la tutelle d'Etienne.

"pour ce que la nature de la profession demande d'être continuée sous les mêmes principes et préceptes". Mention capitale: malgré son riche mariage, qui va lui permettre de disposer d'une fortune considérable, Etienne continue à demeurer à Lunéville et certainement collabore avec son père. Sa présence constante aux côtés de Georges, dont témoignent plusieurs actes, doit se vérifier à l'atelier. Il est assez vraisemblable que cette collaboration introduise désormais dans certaines œuvres une facture plus sommaire (*Saint Alexis* de 1648, n. 61; *Saint Sébastien*, ex. de Berlin, n. 65). Il est possible aussi que la production tende à se diviser en deux groupes: des tableaux entièrement conçus et éxécutés par Georges (*Saint Sébastien*, ex. de Bois-Anzeray n. 64; *Job et sa femme*, n. 66), toujours plus audacieux de conception, toujours plus subtils de facture (et dont l'image radiographique se révèle de moins en moins insistante); d'autre part des œuvres qui exploitent les inventions passées, reprenant dans une gamme colorée différente et avec une stylisation plus forte des compositions sans doute célèbres, et dont la conduite est pour une part plus ou moins grande laissée à Etienne, le père intervenant surtout au dernier stade: d'où ces dessous que la radiographie ou l'usure dénoncent plus sommaires (*Le reniement de saint Pierre*, 1650, n. 68; *Les joueurs de dés*, n. 71; voir les notices de ces tableaux).

1650. Derechef La Tour bâtonne de belle manière un "laboureur", Fleurant Louys, dont il a à se plaindre à propos de dommages commis sur une de ses terres. Le paysan semble assez mal en point, et pour le débouter de sa plainte Etienne est obligé de s'entremettre. La Tour n'en est quitte que moyennant une assez bonne somme (conciliation en date du 23 juillet).

En septembre naît son petit-fils Jean Hyacinthe.

La Tour signe et date de cette année le *Reniement de saint Pierre* du Musée de Nantes (peut-être le tableau offert au début de l'année suivante au Maréchal de La Ferté, cf. n. 68).

1651. Pas de documents repérés de janvier à décembre.

1652. Diane (le 15 janvier). Georges (le 30), et leur valet Jean, dit Montauban (le 22) sont emportés par une épidémie (qualifiée de "pleurésie"). La Tour ne semble pas avoir eu le temps de faire son testament, sinon "verbalement", et l'on ne connaît qu'un legs, celui d'un "meix et jardin" au couvent voisin des Pères Capucins.

De dix enfants connus, il ne laisse, outre Etienne, que deux filles, Claude et Chrétienne, qui ne se marieront pas, semble-t-il. Maître d'une belle fortune, Etienne († 10 avril 1692) semble abandonner assez promptement la peinture; il va acheter le domaine franc de Mesnil, près de Lunéville, et se faire nommer lieutenant du bailli à Lunéville par Charles IV revenu dans son duché (1660), puis

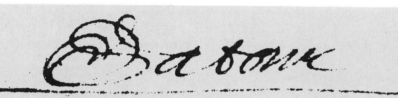

2. - Signature de Georges de La Tour (1626).

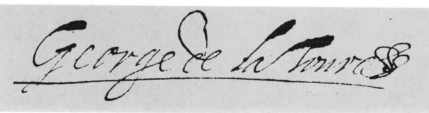

3. - Signature de Georges de La Tour (1631).

4. - Signature de Georges de La Tour (1638).

5. - Signature de Georges de La Tour accompagnée de celle de son fils Etienne (1647).

6. - Signature de Georges de La Tour accompagnée de celle de son fils Etienne (1648).

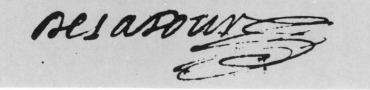

7 - Signature d'Etienne de La Tour (1650).

obtenir l'érection du domaine franc en fief (1669), et enfin des lettres d'anoblissement (1670). Il achève ainsi l'ascension sociale si obstinément poursuivie par Georges: mais du même coup il doit être peu soucieux de maintenir hors de l'oubli l'activité — jugée roturière — de son père. Oubli qui s'étend rapidement, et, malgré une mention élogieuse de Dom Calmet (1751), persistera jusqu'au début du XXe siècle.

Les signatures de Georges de La Tour

On n'a identifié jusqu'ici aucune relique de La Tour: portrait, objets personnels, livres, demeures et jusqu'à sa tombe, tout paraît disparu sans espoir.

La seule exception est la signature autographe qui figure souvent au bas des actes retrouvés dans les archives. Nous en donnons quelques exemples, choisis à des moments différents de la carrière (fig. 2-6). On constatera qu'elle peut avoir une forme plus ou moins abrégée, mais présente toujours une grande élégance de graphie. — Dans les dernières années, à partir du moment où Etienne approche de la majorité, sa signature accompagne souvent celle de son père (fig. 5-6). Elle en est très voisine (fig. 7), au contraire de celles, bien plus maladroites, des deux filles, Chrétienne et Claude.

Un des actes retrouvés, une copie, tardive sans doute, de la requête adressée au duc de Lorraine en 1620 (cf. à cette date), offre dans sa première partie une écriture d'une qualité exceptionnelle: elle est si proche des signatures que nous croyons y reconnaître un autographe du peintre.

La signature de La Tour apparaît aussi sur plusieurs tableaux: et sa présence a parfois suscité d'assez vives controverses. Seuls douze tableaux jusqu'ici offrent une signature hors de tout conteste. Trois ont servi de point de départ pour la reconstitution de l'œuvre: celle du *Saint Joseph éveillé par l'Ange* de Nantes (n. 44; fig. 10), celle du *Reniement de saint Pierre*, également de Nantes (n. 68; fig. 13), toutes deux utilisées par Voss en 1915, et celle du *Tricheur* du Louvre (n. 30; fig. 9), découverte par Pierre Landry en 1926, et qui vint prouver que La Tour avait peint également des tableaux diurnes. Quatre sont apparues dans les années qui suivirent: celle de la *Madeleine* du Louvre (n. 47; fig. 11), celle du *Saint Thomas* (n. 27), celle de la *Diseuse de bonne aventure* du Metropolitan Museum (n. 29; fig. 8) et celle des *Larmes de saint Pierre* (n. 51; fig. 12), seule (avec celle du *Reniement*, n. 68; fig. 13) à être accompagnée d'une date. Cinq viennent de se révéler plus récemment: celles du *Souffleur* de Dijon (n. 42) et du *Job* d'Epinal (n. 66), la seconde retrouvée au cours de la récente restauration (1972), celles enfin de l'*Argent versé* (n. 19 ter), de la *Madeleine pénitente* de Los Angeles (n. 38) et du *Souffleur à la pipe* (n. 58).

Ajoutons quatre cas plus sujets à litige: la signature des *Joueurs de dés* de Teesside (n. 71; fig. 16), d'une graphie si maladroite et si différente de toutes les autres que pour notre part nous la croyons apocryphe; mais elle doit recopier et peut-être recouvrir une signature effacée par quelque restaurateur, sans doute à une date assez ancienne; — la signature de l'*Education de la Vierge* de la collection Frick (n. 52; fig. 15), regardée généralement comme fausse ou apposée par Etienne, mais que nous pensons au contraire (voir notice) parfaitement authentique; — la signature de la *Fillette au brasier* (n. 59), jusqu'ici mal déchiffrée et que nous n'avons pu étudier, mais qui pourrait être elle aussi authentique; — celle enfin du *Vielleur* de Bruxelles (n. 23; fig. 14), dont la place et la forme surprennent, mais qui figure sur un tableau si cruellement mutilé et repeint que tout jugement sûr, même après étude radiographique, reste pour l'instant impossible. Ne mentionnons que pour mémoire les "signatures" que certaines personnes ont cru déchiffrer sur des toiles plus que médiocres et qui laissent à tout le moins perplexe (cf. n. D 11).

Il serait donc imprudent de tirer de la présence d'une signature des conclusions trop précises. Des œuvres de premier plan (le *Saint Jérôme pénitent* de Grenoble, n. 31; le *Saint Joseph charpentier* du Louvre, n. 43; le *Nouveau-né* de Rennes, n. 56; la *Femme à la puce* de Nancy, n. 46; etc.) en semblent dépourvues, tandis que des œuvres moins ambitieuses (le *Souffleur à la lampe* de Dijon, n. 42) sont dûment signées. Dans certains cas seulement on peut penser qu'elle fut volontairement effacée au XVIIIe ou XIXe siècle pour permettre des attributions qui paraissaient plus flatteuses. Contrairement à ce qui arrive pour d'autres peintres du XVIIe siècle, il semble qu'on ne puisse trouver de principe qui régisse, même plus ou moins irrégulièrement, l'apposition de cette signature.

Toutefois on observe que seuls trois tableaux diurnes sont signés: et justement parmi ceux que nous plaçons à la fin de la série. Au contraire sont signés plus du tiers des tableaux nocturnes. On serait ainsi amené à penser que La Tour prit l'habitude d'apposer sa signature surtout dans la seconde moitié de sa carrière — peut-être à partir du moment où les malheurs de la Lorraine le forcent à chercher une clientèle hors du pays. Les deux signatures qui nous semblent chronologiquement les premières — celles du *Saint Thomas* et de la *Diseuse de Bonne aventure* — sont aussi les plus soignées, les plus ostensibles et la seconde comporte la mention "Lunevillae Lothar.", qui ne s'explique que si la toile fut exécutée pour un amateur étranger au pays: on a l'impression de la marque destinée à faire connaître au loin le nom du peintre.

Une seconde remarque s'impose. Dans les actes d'archives conservés, la signature de La Tour semble subir autour de

8. - *Signature apparaissant dans là peinture étudiée au n. 29 du Catalogue.*

9. - *Signature apparaissant dans la peinture n. 30.*

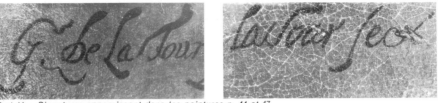

10 et 11. - *Signatures apparaissant dans les peintures n. 44 et 47.*

12. - *Signature apparaissant dans la peinture n. 51.*

13. - *Signature apparaissant dans la peinture n. 68.*

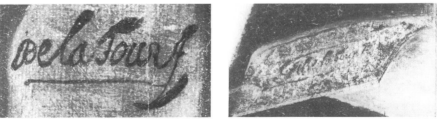

14 et 15. - *Signatures apparaissant dans les peintures n. 23 et 52.*

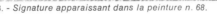

16. - *Signature apparaissant dans la peinture n. 71.*

1636-38 une brutale métamorphose. Les signatures antérieures à cette date que nous conservons sont brèves et modestes (fig. 2-3). Soudain, en 1638, apparaît la magnifique graphie (fig. 4) qui plus ou moins largement étalée, subsiste jusqu'à la mort. Or toutes les signatures de tableaux que nous conservons (fig. 8-13) montrent cette seconde forme.

On se trouve donc conduit à penser que tous les tableaux signés sont postérieurs à 1636-38. Il serait pour le moins singulier que La Tour ait usé pour les toiles de la signature du second type, alors que dans les actes il conservait celle du premier type. Du coup, il apparaît impossible de placer (comme nous le refusons, mais comme on l'a souvent proposé) la *Di-seuse de bonne aventure* et les *Tricheur* au début de l'œuvre, à l'époque de l'établissement à Lunéville (Nicolson, 1972; Blunt, 1972: entre 1615-1616 et 1625). Une étude graphologique des signatures de La Tour, à partir de tous les documents signés, serait très souhaitable. Mais dès maintenant on ne peut entièrement négliger cette indication chronologique.

85

Catalogue des œuvres

*Liste chronologique
de toutes les peintures
dues à Georges de La Tour
ou qui peuvent lui être attribuées*

La reconstitution de l'œuvre de La Tour a commencé il n'y a guère plus de cinquante ans. En 1850, à Nancy, la Société de l'Union des Arts réclamait en vain qu'on lui signalât une œuvre de ce "Dumesnil de La Tour" que citait Dom Calmet parmi les illustrations de la Lorraine, et en 1863, Alexandre Joly, publiant dans le "Journal de la Société d'Archéologie Lorraine" sa reconstitution de la biographie de La Tour, concluait sur l'espoir qu'on découvrît "un jour ou l'autre [...] sur les parois de quelque église de campagne, une toile délabrée de cet artiste". De son côté, en 1883, Olivier Merson, conservateur du Musée de Nantes, rédigeant le catalogue de ses collections, s'écriait à propos du *Songe de saint Joseph* et du *Reniement de saint Pierre*, dont il mentionnait avec soin la signature "G. de La Tour": "Nous appelons l'attention des chercheurs et des érudits sur l'auteur de ces deux tableaux. Il serait curieux en effet, et intéressant, de découvrir quelque chose concernant un artiste de valeur, et resté cependant tellement ignoré, qu'on ne rencontre son nom nulle part, ni sur le livret d'un autre Musée, ni dans aucun ouvrage biographique [...]". Olivier Merson n'avait pas eu vent des recherches de Joly, et n'avait consulté ni Nagler, ni Fiorillo, qui mentionnent dûment le nom de La Tour. Comme le mentionne, paru cette même année, le *Dictionnaire* de Siret. Un excellent article sur *Dumesnil de La Tour* va figurer dans le *Larousse du XIXᵉ siècle*, dès 1870, sans que personne ne songe enfin à rapprocher textes et tableaux...

Il fallut attendre pour cela un jeune érudit allemand qui s'appelait Hermann Voss. Dans la page fameuse qu'il publie en 1915, il relie les renseignements tirés de dom Calmet et de Joly aux tableaux signés de Nantes, et par une intuition admirable y joint le *Nouveau né* de Rennes et la gravure dite des *Veilleuses*. En 1922 Louis Demonts ajoute le *Job* d'Epinal (rapprochement déjà proposé en 1900 par Gonse), le *Saint Sébastien* de Rouen (sur une suggestion de Longhi), et, moins heureusement, le *Reniement de saint Pierre* du Louvre (n. D 8). En 1926, Pierre Landry découvre le *Tricheur* signé (n. 30), et l'*Ado-*

ration des bergers (n. 50) est identifiée par Voss.

Dès lors la reconstitution se précipite. En 1930 Vitale Bloch peut reproduire dans "Formes" une liste de sept 'nocturnes'; en 1931 Voss ajoute des toiles 'diurnes', que ne laissaient pas prévoir les textes, mais qu'authentifiait la signature du *Tricheur*. Pour l'exposition des "Peintres de la Réalité" en 1934 Charles Sterling peut cataloguer treize tableaux. En 1942 le livre où Thérèse Bertin-Mourot réunit les études de Jamot est illustré de vingt-deux compositions. En 1948, dans sa grande thèse de doctorat, François-Georges Pariset signale, commente et reproduit enfin plusieurs dizaines d'œuvres, tant originaux que copies. L'exposition consacrée à La Tour en 1972 — la première — va comprendre trente-et-un originaux et trente-et-une œuvres d'étude. Le présent catalogue accepte soixante-et-onze compositions, dont moitié environ ne nous sont connues que par des copies ou des mentions anciennes. On peut espérer que des découvertes viendront encore accroître le nombre, et révéler soit des originaux perdus, soit d'autres créations. C'est l'un des souhaits, et l'un des buts de ce livre.

Cette longue reconstitution n'a pas été sans poser des problèmes d'attribution et de classement. Une douzaine d'œuvres seulement sont signées; deux sont datées. On a parfois donné à La Tour des tableaux qui ne lui revenaient nullement. On dispute beaucoup de la chronologie de l'œuvre.

Nous proposons ici une mise au point de tous les matériaux amassés jusqu'à ce jour (30 septembre 1972), sous forme critique et chronologique. En collaboration avec M. Pierre Rosenberg nous avons donné de ce travail une première esquisse dans le catalogue de l'Exposition de l'Orangerie (mai 1972). Grâce à l'étude directe des tableaux lors de l'Exposition même, à leur comparaison, à la connaissance des radiographies que dans plusieurs cas nous a aimablement permise Mme Hours, Directeur du Laboratoire du Louvre, nous avons pu revoir et corriger

quelques points. Nous n'avons pas été amené à modifier les grandes lignes du classement.

Le présent catalogue est fondé essentiellement sur *un double critère*: plastique et spirituel. Nous avons accordé une importance majeure à l'évolution du coloris, de la matière picturale et de la touche. Mais en même temps, il nous a paru nécessaire, s'agissant d'un peintre comme La Tour, de faire entrer en ligne de compte le progrès de l'inspiration. Seul l'accord de ces deux données nous semble décider de l'inclusion d'un tableau et de sa place chronologique.

Nous partons ainsi de l'intérieur de l'œuvre. Partir de l'extérieur, suspendre la chronologie aux contacts présumés avec tel ou tel peintre (qu'il s'agisse de Leclerc, de Terbrugghen ou des Nordiques, de Bigot ou de tout autre) nous semble une démarche dangereuse. Nous ignorons absolument tout des voyages, et la Lorraine était un lieu de passage où toutes les nouveautés pénétraient promptement. Supposer tel séjour à partir du style des tableaux, et classer les tableaux en fonction de ce séjour, tient un 'peu de la pétition de principes. Il faut certes tenir grand compte des circonstances: en premier, des malheurs qui accablent la Lorraine à partir de 1631-1634, modifiant la psychologie, obligeant à chercher une autre clientèle. Mais on ne saurait, en bonne méthode, faire reposer l'enchaînement de l'œuvre sur les seules influences.

La chronologie que nous présentons reste approximative et globale. Nous jugeons périlleux, dans la plupart des cas, de donner une date précise et péremptoire. Cela, pour trois raisons propres à La Tour.

1. *le peu de repères fixes*: deux absolument sûrs (*Saint Pierre repentant*, 1645; *Reniement de saint Pierre*, 1650), deux très probables (*Saint Alexis*, 1648; *Saint Sébastien*, 1649), tous groupés sur six ans pour une carrière d'au moins trente-cinq années:

2. *le petit nombre des originaux conservés*: moitié seulement des compositions connues. Or il est toujours aléatoire de

tenter un classement à partir de gravures ou de copies plus ou moins médiocres;

3. *l'existence, désormais frappante, de "doubles"*, voire de "séries", La Tour reprenant plus ou moins fidèlement ses compositions à des moments éloignés et dans un style nettement différent (n. 26 et 31; n. 28 et 30; n. 38 et 47; etc.). Des caractères de la composition primitive subsistent évidemment, alliés à un coloris, une technique, un esprit profondément modifiés. D'où une contradiction aussi grave que sournoise dans les éléments de datation que nous tirons de ces œuvres. L'image radiographique elle-même, de ce fait, n'offre plus un critère assuré de classement. Si l'on considère que La Tour adopta probablement les méthodes caravagistes de travail — pas de dessins, travail direct sur la toile —, on concevra que pour ces 'reprises' la radiographie puisse présenter un aspect différent — plus léger, moins 'travaillé', moins abondant en 'repentirs' — de celle des 'créations' contemporaines. Or les multiples destructions interdisent de savoir en quel cas nous sommes en présence d'une seconde ou troisième version.

Dans ces conditions, croire à la possibilité d'une chronologie 'fine' nous semble, non seulement relever de la chimère, mais procéder d'une méthode erronée. C'est déjà beaucoup, croyons-nous, que prétendre à dégager les lignes de force de la création.

Pour en donner une idée aussi claire et complète que possible, le *catalogue* classe à la suite toutes les compositions que nous tenons pour être de La Tour, en reproduisant soit l'original, soit à son défaut la gravure ou les copies qui nous semblent en conserver le meilleur témoignage. Nous croyons que les œuvres authentiques paraîtront suffisamment distinguées par le texte, et par les planches en couleurs où elles sont toutes regroupées (à l'exception d'un petit nombre qui sont en trop mauvais état ou dont la reproduction nous a été interdite par le propriétaire). Nous avons ajouté une liste d'œuvres perdues citées par les textes, mais impossibles à classer faute d'indications suffisantes (*Liste A*, p. 99), et une liste d'œuvres pour lesquelles la discussion reste ouverte (*Liste D*, p. 99-101).

Les notices ont été réduites aux renseignements essentiels. La plupart des tableaux ont suscité des opinions aussi diverses que nombreuses; beaucoup d'entre elles, surtout depuis l'exposition de 1972 — et cela, de l'aveu même de leurs auteurs — sont devenues caduques. Nous ne les avons donc citées que par occasion, et toujours en indiquant l'année où elles ont été émises. On pourra donc se reporter à l'ouvrage ou l'article parus à cette date en consultant la bibliographie de ce volume, ou, à son défaut, la bibliographie beaucoup plus étendue publiée dans le catalogue de l'Exposition de 1972.

1   **LES MANGEURS DE POIS.** Berlin-Dahlem, Staatliche Museen, Gemäldegalerie.

h/t 74 × 87

Identifié dans une collection de Lugano et publié par F. Bo-

1

logna (1975); acquis peu après par le musée de Berlin. Au moment de la découverte les deux personnages se trouvaient séparés et accrochés en pendants. Ils ont été réunis lors de la restauration; une petite et très médiocre copie (Nancy, Musée Lorrain) garantit l'exactitude de cette restitution. Tous les auteurs (Bologna, Schleier, Rosenberg, etc.) s'accordent à voir ici l'une des premières œuvres conservées de La Tour. Le sujet de genre, très réaliste, est d'un type qu'on rencontre fréquemment en France au début du XVIIe siècle (cf. le *Georges mangeant la bouillie* de Lallemant, au Musée National de Varsovie), et dont l'estampe nous livre de nombreux exemples.

2 VIEILLARD. San Francisco, De Young Memorial Museum (Oakes).

h/t 90,5×59,5 [Or. 1]

Pendant du n. 3. Les deux tableaux furent identifiés vers 1949 dans une collection suisse, publiés en 1954 par Vitale Bloch, et sont passés en 1956 au De Young Memorial Museum. Regardés d'abord avec scepticisme en raison de leur facture raffinée et de leur petit format. Admis par Sterling (Exposition Rome 1956), catégoriquement rejetés par Isarlo qui les décréta fragments découpés dans un "rideau forain" (sic) (1957, 1972), laissés dans le doute par Spear (Exposition Cleveland 1971). En fait ces tableaux semblent de précieux témoignages d'une production destinée à la décoration des intérieurs bourgeois, et lors de l'Exposition de 1972 leur authenticité ne semble plus avoir été remise en question par les critiques sérieux. On les rapprochera des études de types contemporains chères à Callot, et qu'on rencontre dans les gravures de ce dernier avec une présentation aussi simple. Il s'agit moins de paysans, comme on l'a dit, que de gens de petite ville, aux vêtements soignés. La coiffe de la femme a fait songer à une étude de paysans romains (Fiocco, 1954) remontant au probable séjour italien: mais il semble bien que

les costumes soient simplement lorrains. La technique complexe de certaines parties, les plis parfois tourmentés à la manière de Leclerc (manches de la femme) semblent confirmer une datation très précoce.

3 VIEILLE FEMME. San Francisco, De Young Memorial Museum (Oakes).

h/t 90,5×59,5 [Or. 2]

Voir le n. 2.

4 SAINT PIERRE.

1624

Acquis de l'artiste par le duc de Lorraine Henri II pour 150 fr. avant juillet 1624, et désigné comme "image Saint Pierre" (cf. la *Chronologie*, 1624). Grossmann (1958) a prudemment proposé d'assimiler le tableau aux *Larmes de saint Pierre* de la collection de l'Archiduc Léopold Guillaume (voir le n. 5); mais Lepage (1875) semblait connaître un document (jusqu'ici non retrouvé) d'après lequel le tableau était destiné par le duc à décorer l'église des Minimes de Lunéville. Il s'agirait alors d'une composition inconnue, peut-être détruite lors de l'incendie de Lunéville en 1638.

5 LES LARMES DE SAINT PIERRE.

h/t ca 135×160

g/c 16,1×22,4 [Or. 33]

Dès le XVIIe siècle dans les collections de l'Archiduc Léopold Guillaume, décrit dans l'inventaire de 1659 sous le nom de La Tour, passé dans les collections impériales de Vienne, gravé deux fois dans les recueils consacrés à celle-ci (cf. ci-contre le mezzotinte d'Anton Joseph Prenner [G 5] tiré de *Theatrum Artis Pictoriae*, t. III, 1731). Sa trace se perd à la fin du XVIIIe siècle, mais le tableau a chance d'exister encore. Grossmann (1958) l'a rapproché de l'*Image saint Pierre* achetée par le duc de Lorraine en 1624,

5 gravure

mais l'assimilation demeure incertaine (voir le n. 4). La date devait pourtant être voisine; l'œuvre est proche des demi-figures de saints en largeur que l'on rencontre, par exemple, chez Terbrugghen vers 1621.

6 LE VIELLEUR AU CHIEN. Bergues, Musée municipal.

h/t 186×120 [Or. 3]

Mentionné dans les saisies révolutionnaires (1791) comme provenant de l'abbaye de Saint-Winoc à Bergues, affecté en 1838 au musée, découvert en 1934 par Pierre Landry qui, suivi par la plupart des auteurs, y voit une réplique d'atelier. Une restauration récente (1972) a permis de constater que le tableau est très gravement ruiné, sans doute par un nettoyage brutal du XIXe siècle, mais que la qualité des parties les mieux préservées (visage, chien), ainsi que d'importants repentirs (jambe droite) désignent un original. Ce qui semble désormais accepté. Il s'agit sans doute de la première interprétation que nous conservons chez La Tour de ce thème du mendiant musicien si fréquent dans l'art lorrain du début du XVIIe siècle (Bellange, Callot, Heinzelet, etc.) et que La Tour reprendra plusieurs fois (cf. les n. 22, 23, 24, 25). Le coloris général très sobre, les contrastes solides de valeurs, les recherches de matière que révèlent les rares endroits intacts semblent relier directement cette œuvre à la série *des Apôtres* (n. 7-19).

Les Apôtres d'Albi

Il s'agit d'une série de 13 toiles (le Christ et les douze Apôtres) tout à fait analogue aux *apostolados* conservés du Greco, de Zurbaran, etc., et se rapprochant des séries gravées par Bellange, Callot, etc. Elle est mentionnée à la cathédrale d'Albi dès 1698; elle y décore alors la chapelle Saint-Jean et passe pour avoir été donnée par le chanoine Nualard. Une étude scientifique récente (1972) permet de reconstituer avec quelque probabilité ses vicissitudes. La série subsista complète au moins jusqu'en 1795 (inventaire révolutionnaire). Mais soit auparavant, vers la fin du XVIIIe siècle, soit plutôt par la suite, au début du XIXe, elle dut subir un avatar assez commun à l'époque: sans doute à la suite du mauvais état des toiles, on ne conserva que quelques originaux (n. 12 et 17) et l'on remplaça les œuvres abîmées par des copies vraisemblablement demandées à quelque peintre local. Celui-ci paraît avoir gardé au moins quelques origi-

naux et les avoir ensuite remis en état et vendus, selon une coutume fréquente des restaurateurs anciens (n. 13). Lorsque la série a été retrouvée au Musée d'Albi et publiée en 1946 par René Huyghe, elle ne comprenait plus que 11 toiles, dont 9 copies et 2 originaux. L'ensemble conserve du moins un précieux répertoire des types créés par La Tour durant la première partie de sa carrière, et donne la mesure de son premier réalisme.

7 LE CHRIST BÉNISSANT.

h/t 67×53 Albi, Musée Toulouse-Lautrec [Or. 34]

Sans doute la figure la moins attendue de La Tour, qui adopte ici un schéma très traditionnel. La radiographie de la toile d'Albi a confirmé qu'il s'agissait bien d'une copie, exécutée sur un fragment de toile ancienne réemployée (composition avec un seigneur en costume du XVIIe siècle et un religieux à genoux).

8 SAINT PIERRE.

h/t 67×53 Albi, Musée Toulouse-Lautrec [Or. 35]

A rapprocher du n. 5, où se retrouve le geste si particulier des mains fermées l'une sur l'autre que La Tour donnera à tous ses "Saint Pierre repentant" (cf. les n. 51, 62).

9 SAINT PAUL.

h/t 67×53 Albi, Musée Toulouse-Lautrec [Or. 36]

A rapprocher des *Saint Jérôme lisant* de Hampton Court (n. 20) et du Louvre (n. 21).

10 SAINT JEAN.

Pas de copie connue; sa présence dans la suite des Apôtres est cependant certaine.

11 SAINT JACQUES LE MAJEUR.

h/t 63×51 Albi, Musée Toulouse-Lautrec [Or. 37]

Dans la série, la figure où l'interprétation contemporaine du costume, conforme à la tradition caravagesque, est la plus flagrante (habit, bâton et gourde de pèlerin).

12 SAINT JACQUES LE MINEUR (dit aussi à tort SAINT JUDE). Albi, Musée Toulouse-Lautrec.

h/t 66×54 [Or. 4]

L'un des deux originaux conservés à Albi même; la radiographie récente (1972) en a confirmé la qualité, et a révélé un important repentir (la tête se trouvait primitivement penchée vers la gauche). Le travail complexe de la brosse, le raffinement des couleurs rompues et qui évitent les teintes locales, atteignent ici à leur maximum.

2 [Pl. II]

3 [Pl. I]

6 [Pl. III-IV]

7 copie

8 copie

9 copie

11 copie

12 [Pl. VII]

13 [Pl. VI]

13 copie

15 copie

19 ter L'ARGENT VERSÉ.
Lwow (U.R.S.S.),
Galerie de peinture.

h/t 99×152 s [Or. 32]

Acquis dans le premier quart du XIXᵉ siècle comme Honthorst pour la collection Dombski; attribué à La Tour par Tcherbatchova en 1970. Présenté pour la première fois en 1972 à l'Exposition de l'Orangerie, ce tableau singulier a été accepté comme œuvre de La Tour par de nombreux érudits (Bloch, Blunt, Rosenberg, Nicolson, etc.) malgré de nombreuses réticences (F. Pariset, etc.). La découverte de la signature est venue confirmer l'authenticité; mais elle n'a pas résolu tous les problèmes.

Jusqu'à présent, aucune explication satisfaisante n'a été donnée du sujet, proche des *Vocation de saint Matthieu*, mais sans qu'apparaisse le Christ. Doit-on penser à un autre épisode religieux (Matthieu à sa table d'usurier? mais la représentation est rarissime; la parabole de l'ouvrier de la dernière heure? mais il n'y aurait qu'un seul ouvrier, et comptant plusieurs deniers; cf. une représentation très différente dans le tableau attribué à Ryckaert au musée de Stockholm). Ou admettre simplement qu'il s'agit d'un sujet de genre (l'usurier [Tcherbatchova], ou plutôt le paiement de l'impôt)?

D'autre part, la place du tableau dans l'œuvre de La Tour reste incertaine. On avait d'abord pensé qu'il devait se situer tout au début de la carrière. Vers 1616-1618 selon certains critiques: mais en ce cas les rapports avec l'art de Jean Le Clerc, de retour en Lorraine vers 1621 seulement, poseraient un curieux problème; ou vers 1621-1624, ce qui montrerait que La Tour pratique les nocturnes dès ce moment, en concurrence avec Le Clerc, et dans une manière où les influences nordiques semblent balancer une expérience italienne et des survivances maniéristes. Par malheur, la date qui suit la signature découverte est difficile à déchiffrer: 1634 (Vsevolozh-

16 copie

17 [Pl. V]

18 copie

19 copie

13 SAINT PHILIPPE (dit aussi à tort SAINT ANDRÉ).

h/t 63×52 [Or. 6]
Norfolk, Chrisler Museum

h/t 67×53 Albi,
Musée Toulouse-Lautrec
[Or. 38]

On possède pour cette figure à la fois l'original, légèrement rogné dans le haut (où une bande de 2 cm. a été rajoutée), très usé, avec quelques restitutions inexactes, mais qui conserve encore de beaux morceaux, et la copie demeurée à Albi, exécutée sur un fragment de vieux tableau dont la peinture demeure visible sur la tranche de la toile.

14 SAINT ANDRÉ ou SAINT MATTHIEU.

On ne possède pas de copie; c'est l'un ou l'autre de ces Apôtres qui d'ordinaire complète la série.

15 SAINT SIMON.

h/t 65×53. Albi,
Musée Toulouse-Lautrec
[Or. 39]

De toute la série la figure où le réalisme atteint son expression la plus brutale.

16 SAINT THOMAS (dit à tort SAINT MATTHIEU ou SAINT BARTHÉLEMY).

h/t 65×53 Albi,
Musée Toulouse-Lautrec
[Or. 40]

La composition la plus caravagesque de la série, avec la lumière tombant sur le crâne chauve et ridé, tandis que la face reste dans l'ombre. La copie, une des meilleures, est peinte sur le fragment d'une grande composition visible à la radiographie.

17 SAINT JUDE THADDÉE (dit aussi à tort SAINT MATTHIEU). Albi, Musée Toulouse-Lautrec.

h/t 62×51 [Or. 5]

Le second des deux originaux conservés à Albi même. Le puissant réalisme évoque, plus encore que les modèles caravagesques, la tradition nordique, et même, jusque dans le coloris et les légers accents ajoutés du bout du pinceau, les figures de vieillards de Dürer.

18 SAINT MATTHIAS.

h/t 67×53 Albi,
Musée Toulouse-Lautrec
[Or. 41]

A rapprocher du *Saint Thomas* pour sa parenté avec les types proprement caravagesques de vieillards ridés et chauves, et son effet de lumière.

19 SAINT BARTHÉLEMY (?).

h/t 67×53 Albi,
Musée Toulouse-Lautrec
[Or. 42]

L'identification du saint reste incertaine: mais Barthélemy est souvent désigné par le livre seul.

19 bis UN SAINT.

h/t 102×85 Suisse,
Collection particulière

Passée en vente à Lucerne en 1951 avec une attribution à La Tour, expertisée par Voss comme original (1962), cette toile a été justement regardée par Nicolson (1974) comme la très médiocre copie d'une œuvre perdue de La Tour. L'original ne devait pas s'éloigner beaucoup, ni par le style ni par la date, de la série des *Apôtres* d'Albi.

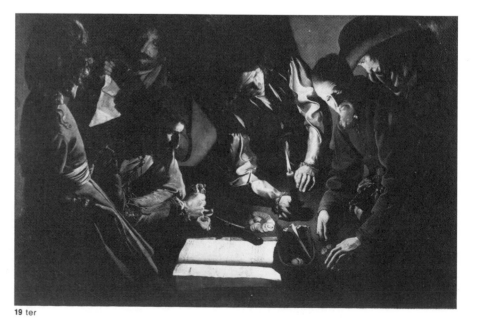
19 ter

skaya et Linnik, 1975), 1641 (Zolotov, 1976). En attendant un examen scientifique de l'inscription, la prudence impose de laisser ce tableau au début de la série conservée des nocturnes, mais à une date sans doute plus tardive qu'on ne l'avait d'abord cru.

20 SAINT JÉRÔME LISANT. Hampton Court Palace, Collection de S. M. la Reine d'Angleterre.

h/t 62×55 [Or. 7]

Acquis dès 1662 par le roi Charles II avec la collection William Frizell sous la mention "manière d'Albert Dürer" et pour 150 florins; demeuré depuis dans les collections royales sous diverses attributions (Catalani, etc.) Signalé en 1942 par Gerson comme réplique de La Tour. Une restauration récente (1972) a permis de croire à un original très usé, probablement par des nettoyages anciens trop brutaux, qui ont fait apparaître les dessous et amenuisé les rehauts (chevelure, barbe, etc.), en donnant au tableau un aspect plus fondu. En fait la technique semble avoir été très proche de celle des *Apôtres* (notamment les nos 13 et 17). Le motif du vieillard à bésicles, déjà utilisé par le Caravage dans sa *Vocation de saint Matthieu* et par les caravagistes comme par les maniéristes nordiques, a été plusieurs fois repris par La Tour (cf. les n. 9 et 21).

21 SAINT JÉRÔME LISANT.

h/t 122×93 Paris, Musée du Louvre [Or. 43]

Importante composition, dont les contrastes accusés semblent annoncer les toiles nocturnes, alors qu'il semble bien que l'œuvre demeure précoce (rapprochements directs avec la série des *Apôtres* [nos. 7-19] et le *Saint Jérôme* de Hampton Court [n. 20], nature morte encore mal organisée). On a d'abord cru posséder l'original avec la toile du Louvre, identifiée en 1934 dans la collection Delclève à Nice et acquise en 1935. Mais sa facture a soulevé assez tôt de nombreux doutes (Sterling, 1951; Malraux, 1951, etc.) qu'a confirmés l'étude de l'œuvre lors de l'exposition de 1972.

Il existe une autre copie ancienne dans une collection parisienne.

22 RIXE DE MUSICIENS.

h/t 94,4×141,2 Malibu (Californie), Paul Getty Museum [Or. 8]

Découvert dans une collection anglaise où il se trouvait mentionné en 1928 sous le nom du Caravage, le tableau, dont l'existence a été révélée dès 1958, n'a été publié qu'en 1971 par Benedict Nicolson. Passé en vente à Londres, chez Christie, le 8 décembre 1972, il a été acquis par Paul Getty pour 380.000 guinées: c'était le premier original important de La Tour affrontant les enchères publiques.

La composition était déjà connue par une belle copie ancienne (Chambéry, Musée des

20

Beaux-Arts, h/t 83×136 [Or. 46], jadis regardée comme des frères Le Nain, mais justement attribuée à La Tour par Charles Sterling et exposée à l'Orangerie en 1934 (n. 50). La brutalité du thème et la présentation à mi-corps, sans profondeur, avaient même parfois suscité des doutes sur l'auteur de la composition (Philippe, 1935; Landry, 1937; Blunt, 1950): mais la révélation de l'original exposé à l'Orangerie en 1972 est venue supprimer toutes les hésitations, et la toile est désormais unanimement acceptée. La qualité de l'exécution est admirable, malgré certaines usures dans les vêtements (notamment ceux du musicien placé au centre, où seuls subsistent les dessous: la copie de Chambéry doit donner des couleurs une idée plus proche de l'état initial).

Le sujet se retrouve traité avec une violence très différente dans une gravure de Bellange, dont une copie porte la mention "Mendicus mendico invidet" (le mendiant porte envie au mendiant, c.-à-d. on trouve toujours plus malheureux pour vous envier", réflexion morale qui donne sans doute le prétexte de l'œuvre. B. Nicolson a

21 copie

rapproché le violoniste de droite d'un *Violoniste au verre de vin* de Terbrugghen, gravé par Matham, et qui doit dater de 1625 env. Le tableau pourrait appartenir aux années voisines (vers 1625-1630?).

23 GROUPE DE MUSICIENS

fr h/t (85×58) s (?) *Le Vielleur*. Bruxelles, Musées Royaux des Beaux-Arts [Or. 45]

Découvert vers 1948 chez un collectionneur belge, publié aussitôt par Mlle Greindl et acquis par le Musée de Bruxelles (1949). La radiographie (fig. 23ª) révèle qu'il s'agit de la partie de droite d'une composition à plusieurs personnages; à côté du vielleur se distingue un violoniste (main, instrument, archet sont bien visibles).

Actuellement l'œuvre, entièrement repeinte, offre un aspect des plus décevants; sa signature même, curieusement placée, paraît suspecte. Mais à la radiographie la facture paraît d'une qualité assez haute pour faire croire que le frag-

ment a été découpé dans un original offrant un type de composition voisin de celle de la *Rixe* (n. 22), et proche de date du *Vielleur à la sacoche* (n. 24).

24 LE VIELLEUR A LA SACOCHE (LE VIELLEUR WAIDMANN). Remiremont, Musée Charles-Friry.

h/t 157×94 [Or. 44]

Il s'agit d'une composition importante de La Tour, qui semble précéder et préparer le chef d'œuvre de Nantes (n. 25). L'exemplaire de Remiremont, qui se trouvait au début du XIXe siècle en Lorraine, acquis en 1846 par Charles Friry, gravé par lui à l'eau-forte (comme "Ecole Espagnole" fig. 24ª), demeuré dans la famille, puis passé au musée fondé par celle-ci, a toujours été considéré comme œuvre d'atelier (Exposition Orangerie 1934) ou copie (Exposition Arts Décoratifs 1948); il est toutefois de belle qualité, et il est possible que le nettoyage (qui n'a pas encore été exécuté) puisse révéler un original d'une facture plus aiguë, et d'une tonalité différente, très proche de celle du tableau de Nantes.

Un autre exemplaire, trouvé dans une maison de Troyes que les Jésuites avaient achetée vers 1880, connu depuis 1934, est entré en 1960 au Musée Historique Lorrain de Nancy (h/t, 159×97; fig. 24ᵇ); il est d'une exécution plus sommaire et peut être regardé comme une bonne copie ancienne.

25 LE VIELLEUR (au chapeau). Nantes, Musée des Beaux-Arts.

h/t 162×105 [Or. 9]

Une des œuvres majeures de La Tour et des plus fameuses. A figuré dans la collection Cacault (fin XVIIIe - début XIXe s.); acquise avec celle-ci par la ville de Nantes (1810) comme Murillo; admirée par Mérimée (1835), Stendhal (1837), Clément de Ris (1861), Gonse (1900), etc. Attribuée successivement à Ribera, Velazquez jeune, Herrera le Vieux, Zurbaran, Mayno, Rizzi, etc., avant d'être formellement donnée à La Tour par Voss (1931): nom qui s'imposa peu à peu — après de violentes polémiques — et ne rencontre plus aucun opposant. Par la franchise et la sobriété du coloris, sans doute le chef d'œuvre du réalisme lorrain, et de toute cette veine, parfois burlesque, qui décrit miséreux et petits artisans et va des *Cris de Bologne* du Carrache aux *Cris de Paris* de Brébiette. On en rapprochera la mention d'un *Joueur de vielle* accroché en 1764 dans la chambre à coucher du Roi au château de Commercy en Lorraine, et qui avait chance d'être de La Tour: mais rien ne permet de décider s'il s'agissait de cette version ou de la précédente. Nulle copie n'a été retrouvée, sinon une petite réduction assez médiocre de qualité (32×23; Paris, coll. part.). A dater vers 1631-1636?

26 SAINT JÉRÔME PÉNITENT (au chapeau cardinalice). Stockholm, Nationalmuseum.

h/t 153×106 [Or. 11]

Entré au musée en 1917 après être passé dans plusieurs collections suédoises, sans qu'on connaisse son origine; catalogué comme Mayno, rendu à La Tour par Voss en 1931. Unanimement regardé comme original, ce que confirment plusieurs repentirs importants (draperie autour du poignet, etc.) et, malgré l'usure sensible dans certaines parties, la qualité admirable de la matière et de la touche. En revanche les avis divergent sur la datation: avant l'exemplaire de Grenoble (n. 31; Pariset, 1948) ou reprise postérieure (Pontus Grate, 1969). La tonalité plus blonde, proche de celle du *Vielleur* de Nantes (n. 25), comme l'importance des repentirs et l'élaboration plus lente, moins décidée, que révèle la radiographie, nous font désormais opter pour la première hypothèse. L'œuvre semble offrir le lien indispensable entre le *Vielleur* de Nantes d'une part (n. 25) et de l'autre la première version du *Tricheur* (n. 28) et la *Diseuse de bonne aventure* (n. 29).

22 [Pl. VIII-XII] avec les adjonctions postérieures

23

24 a gravure

23 a radiographie

24

24 b copie

25 [Pl. XIII-XIV]

27 **SAINT THOMAS (dit aussi SAINT À LA PIQUE). ... (France), Collection particulière.**

⊞ h/t s

Signé "Georgius de La Tour fecit", le tableau fut révélé en 1950 par Madeleine Pré, puis mentionné et reproduit par F.-G. Pariset (1955, 1963), René Huyghe (1960), H. Tanaka (1969, 1972), etc. Toutefois son étude directe a été refusée à la plupart des érudits comme à nous-

même. Une composition plus dégagée, une arabesque plus souple, semblent indiquer une période nettement postérieure aux *Apôtres* d'Albi et conduisent déjà vers le style de la *Diseuse de bonne aventure* (n. 29).

28 **LE TRICHEUR (à l'as de trèfle). Fort Worth, Kimbell Art Museum.**

⊞ h/t 96×155 [Or. 13]

Conservé dans une collection de Genève au moins depuis

la fin du XIXᵉ siècle; connu depuis 1932, mais complètement négligé par la plupart des auteurs, sauf F.-G. Pariset (1948, 1963), ou regardé comme copie; révélé au public pour la première fois à l'Exposition de l'Orangerie en 1972 et dès lors unanimement accepté comme un original. Acquis par Fort Worth en 1981. La toile est malheureusement usée en quelques parties, mais elle conserve des morceaux de la plus haute qualité. La Tour reprend ici le thème du tricheur proposé par le Caravage et très

souvent traité à sa suite (Valentin, etc.): mais en lui superposant, semble-t-il, comme dans le n. 29, celui de l'Enfant prodigue, et en réunissant les trois tentations majeures du XVIIᵉ siècle: la femme, le jeu et le vin. L'œuvre est diversement datée, et parfois placée après la version du Louvre (n. 30). Au contraire, à notre sens, la tonalité blonde et la facture délicate comme les nombreux repentirs, indiquent une œuvre nettement antérieure à la version signée (n. 30), et sans doute même à la

Diseuse de bonne aventure (n. 29).

29 **LA DISEUSE DE BONNE AVENTURE. New York, Metropolitan Museum.**

⊞ h/t 102×123 s [Or. 12]

Signé: "G. De La Tour Fecit Lunevillae Lothar". Identifié au château de la Vagotière, dans la Sarthe, appartenant à la famille du général de Gastines, au cours de la dernière guerre. Acheté par la Galerie Wildenstein en 1949, exporté aux Etats-Unis en 1959, il fut acquis par le Metropolitan Museum en mars 1960. La nouvelle souleva aussitôt en France une vive émotion et une campagne de presse, qui donna la mesure de la célébrité acquise par La Tour. Des doutes furent ensuite soulevés sur l'authenticité (Diana de Marly, 1970); ils ont été réfutés par l'exposition de 1972, où le tableau fut particulièrement admiré, mais soudain repris aux Etats-Unis en 1980 (C. Wright, D. de Marly: faux moderne à peine antérieur à la guerre de 1939-1945) et amplifiés par les journaux et la télévision qui ont tenté d'en tirer un scandale. Toute cette campagne a été réduite à néant par P. Rosenberg, qui a montré (1981) par des documents précis que le tableau existait en 1879, date où La Tour était encore profondément ignoré.

Au thème caravagesque de la bonne aventure, très répandu dans la première moitié du siècle (Caravage, Gentileschi, etc.) et souvent compliqué, comme ici, par les sous-entendus amoureux et les chaparderies des bohemiennes (Vouet, Valentin, Brébiette, etc.), La Tour semble amalgamer, comme dans le n. 28, celui de l'Enfant prodigue dépouillé par les femmes, également fréquent à l'époque. On a proposé de voir ici un tableau peint aussitôt après l'établissement

26 [Pl. XV-XVI]

31 [Pl. XXV-XXVII]

à Lunéville (Pariset, 1961; Nicolson). Nous croyons au contraire qu'il marque le point le plus haut de la production diurne, et peut même être repoussé à une date aussi tardive que les années 1636-1639. Dans les habitudes du temps l'indication *Lunevillae* paraît indiquer un tableau destiné à un amateur étranger à la Lorraine.

30 LE TRICHEUR (à l'as de carreau). Paris, Musée du Louvre.

h/t 106×146 s
[Or. 14]

Signé: "Georgius De La Tour fecit". Découvert en 1926, par Pierre Landry, publié par Voss en 1931, acquis par le Louvre en 1972 pour la somme de dix millions N.F. Cet illustre tableau a servi de point de départ pour la reconstruction de l'œuvre diurne de La Tour, dont ne parlaient pas les textes, et demeure l'un de ses sommets. Mais il a été daté de façon très diverse: on y a vu souvent une des premières œuvres conservées du peintre (ainsi Pariset, 1963: vers 1625; Nicolson, etc.), et d'autre part on l'a parfois situé avant la version genevoise (n. 28: Nicolson, Landry, communications orales). A notre sens, il ne peut-être que postérieur à celle-ci, dont il offre une expression plus mûrie, plus magistrale, avec une tonalité très différente et une poésie plus grave. Ce que souligne le choix médité des variantes, comme l'absence de repentirs, si nombreux au contraire dans l'autre exemplaire. Les formes plus stylisées, les contrastes de valeurs plus accentués, la gamme froide des couleurs donnent même à penser que cette version peut être séparée de la

27 en cours de restauration

27 avant restauration

première par plusieurs années et que, loin d'être une production de la jeunesse, elle pourrait se situer au temps des premiers grands nocturnes que nous conservons.

31 SAINT JÉRÔME PÉNITENT (à l'auréole). Grenoble, Musée des Beaux-Arts.

h/t 157×100 [Or. 10]

Provient des saisies révolutionnaires; probablement confisqué à l'abbaye de Saint-Antoine-de-Viennois en Dauphiné, où le nom de La Tour est signalé par deux manuscrits datant de la première moitié du XVIII° siècle parmi les peintres dont l'église possède des originaux. Le tableau a été longtemps disputé entre divers noms de l'école espagnole (Ribera, Mayno) avant d'être attribué à La Tour par Voss (1931) en même temps que la version de Stockholm (n. 26). Après de nombreuses résistances (La Tourette, etc.) et des doutes sur l'authenticité, doutes incompréhensibles étant donné la qualité éblouissante de la facture, le tableau se trouve aujourd'hui admis de façon unanime comme l'un des chefs-d'œuvre de La Tour. C'est peut-être celui où il montre au plus haut degré ses qualités de dessinateur incisif et la promptitude décidée de son pinceau, que laisse pleinement goûter un état de conservation bien meilleur que celui de la version suédoise (et que soulignent encore les images radiographiques). Malgré de nombreux avis contraires (Pontus Grate, 1959; Nicolson, etc.), nous y voyons une commande reprenant le tableau de Stockholm avec un sens nouveau du dépouillement, et dans une tonalité toute différente, où jouent les gris perle et les blancs: ce qui apparente l'œuvre à la seconde version du *Tricheur* (n. 30) et peut-être même désigne une vision déjà infléchie par la pratique des nocturnes.

31 bis LA MADELEINE PÉNITENTE AU CRUCIFIX.

h/t France, Collection particulière

P. Rosenberg a publié en 1976, comme copie d'un tableau perdu de La Tour cette composition encore inconnue. La Madeleine est représentée dans une nuit, un sein dénudé, une main posée sur le crâne de mort, et l'autre tenant le crucifix dans un geste qui rappelle celui du *Saint Jérôme pénitent*. L'original, à coup sûr de La Tour, était peut-être le premier en date de toute la série que nous connaissons des *Madeleine pénitente*.

32 LA MADELEINE PÉNITENTE.

h/b 45×62 Nancy, Collection particulière [Or. hc]

Il semble que le panneau de Nancy garde bien le souvenir d'une composition perdue de La Tour: mais sa qualité médiocre rend toute hypothèse fragile. Le coloris et certains

28 [Pl. XVII-XIX]

29 [Pl. XX-XXIV]

30 [Pl. XXVII-XXXII]

32 copie

33 gravure

35 gravure

détails inclineraient à penser qu'il s'agit de la première des *Madeleine* que nous connaissons, et d'une œuvre se situant au début de la grande série des nocturnes, ou même auparavant.

33 SAINT FRANÇOIS MÉDITANT (dit aussi à tort l'EXTASE DE SAINT FRANÇOIS ou LES DEUX MOINES).

☐ g/c 24×31 [Or. 48]

La première sans doute des versions diverses dont nous conservons trace. L'élégance de la composition et du dessin semble désigner une période proche de la *Madeleine* pareillement gravée (n. 34). Le thème, qui a pu paraître obscur, est fréquent au XVIIe siècle, où les Franciscains connaissent

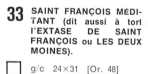

42 [Pl. XXXIII]

l'une des périodes les plus brillantes de leur histoire. On rencontre d'ordinaire saint François en extase soutenu par l'ange (Caravage) ou ravi par le concert angélique (Saraceni, le Guerchin); mais le Greco, par exemple, a laissé de saint François et frère Léon méditant sur la mort une image illustre, plusieurs fois répétée (Prado, National Gallery of Canada, etc...), et gravée avant 1606. Elle suffirait, si besoin était, à éclairer l'iconographie, souvent mal interprétée, du présent tableau.

34 LA MADELEINE PÉNITENTE (dite aussi MADELEINE AU MIROIR).

☐ g/c 20,4×27,5 [Or. 49]

⊞ h autrefois Paris, Collection Terff

⊞ h ... (Etats-Unis), Collection particulière

Plusieurs copies connues en dehors des deux copies peintes signalées ci-dessus. Celle de l'ancienne collection Terff fut reproduite dans Pariset (1948); l'autre, aux Etats-Unis, fut exposée à New York en 1962 et à Jacksonville et St. Petersburg (Floride) en 1970.

Contrairement à l'opinion exprimée par nous-même dans le catalogue de l'exposition de l'Orangerie en 1972, de légères différences (cheveux, manches, anse de la corbeille, flamme, reflet de la veilleuse, etc.) par rapport à la *Madeleine Fabius* (n. 39), différences qui se répètent dans la gravure et les copies mentionnées plus haut, et non dans d'autres exemplaires comme la copie de Besançon (n. 40), donnent à penser que La Tour exécuta de ce type de Madeleine, comme pour la composition du Louvre, deux versions très voisines, dont celle-ci à mi-corps. Malgré l'absence de l'original, certains détails (dessin de la flamme, linéament noir suivant les formes dans les parties lumineuses, comme dans la *Madeleine* n. 38) nous font croire cette version légèrement antérieure à la *Madeleine Fabius*, ce qui s'accorde assez bien avec le fait qu'elle ait servi de modèle à la gravure.

35 LE NOUVEAU-NÉ (LES VEILLEUSES).

☐ g/c 26,7×33,2 [Or. 50]

Avec la lettre: *Jac. Callot in - frans vanden Mijngaerde ex.* Auteur inconnu. Seul état signalé.

Une des plus importantes compositions de La Tour, attribuée à Callot par l'éditeur de la gravure, restituée dès 1915 par Voss. La première version que nous connaissons de ce sujet, que La Tour dut reprendre plusieurs fois, en jouant toujours de l'ambiguïté entre représentation profane — une maternité — et religieuse — la Vierge et sainte Anne veillant l'Enfant endormi (voir le n. 56). A dater vers 1638-1642.

36 L'EXTASE DE SAINT FRANÇOIS.

⊞ h/t 154×163 Le Mans, Musée Tessé [Or. 51]

36 copie Le Mans

38

39 [Pl. XXXIV]

37 copie

34 gravure

34 copie Terff

40 copie

⊞ h/t Lyon, Collection particulière

Par ses dimensions, le plus important des tableaux de La Tour dont nous conservons le témoignage. L'original fut sans doute l'une des œuvres majeures dans la première grande série des nocturnes. L'exemplaire du Mans, publié en 1938 par Sterling, souvent accepté comme original (Jamot, 1939; Huyghe, 1945, etc.), a rapidement suscité l'inquiétude (Sterling, 1951: réplique d'atelier). La facture est dans l'ensemble médiocre, et nulle part n'atteint à la véritable qualité de La Tour. Nous sommes persuadé qu'il s'agit seulement de la bonne copie ancienne d'une œuvre de premier plan. La seconde copie, un peu plus faible, assure du reste la fidélité par rapport à l'original perdu.

37 L'EXTASE DE SAINT FRANÇOIS.

fr h/t 66×78,8 Hartford (Conn.), Wadsworth Atheneum

Le tableau de Hartford (connu, à cause de son état de fragment, comme *Moine en extase*), acquis sur le marché d'art américain, a été publié en 1940. Ses variantes (par exemple le candélabre) par rapport à la composition connue par le tableau du Mans (n. 36) semblent indiquer l'existence d'une troisième version de ce sujet — ce qui n'a rien pour surprendre lorsque l'on songe à la diffusion de la piété franciscaine au temps de La Tour. Sa qualité

est nettement trop faible pour que l'on puisse songer à y reconnaître un original. Il pourrait s'agir d'un débris, en partie repeint, d'une copie ancienne d'après cette composition, analogue au tableau du Mans pour la composition n. 36.

38 LA MADELEINE PÉNITENTE. Los Angeles, County Museum of Art.

h/t 118×90 s

Découvert en 1972 durant l'exposition de l'Orangerie, ce tableau a été acquis par le musée de Los Angeles dans les années qui suivirent. Sa restauration a permis de retrouver un original signé et en excellent état. La composition est analogue à la fameuse *Madeleine*, signée elle aussi, du

Louvre (n. 47), mais offre de multiples variantes dans l'esprit comme dans le détail (nature morte, position des jambes, etc.). Le style moins dépouillé, des détails comme le linéament noir cernant les parties lumineuses ou le double filet de fumée s'élevant de la flamme, semblent indiquer une version antérieure à l'exemplaire du Louvre, et l'apparentent à la première grande série des nocturnes.

39 LA MADELEINE PÉNITENTE (dite MADELEINE FABIUS). Washington, National Gallery.

h/t 113×93 [Or. 15]

Appartint dans la seconde moitié du XIXe siècle à la Marquise de Caulaincourt; acquis en 1936 par A. Fabius, puis en 1974 par le musée de Washington. Unanimement regardé comme original de La Tour, et comme l'une de ses créations les plus poétiques. Situé vers 1628 par Pariset (1948), vers 1645 par Sterling (1951) et Pariset (1963). Il semble en fait que cet exemplaire soit la reprise avec quelques variantes d'une composition antérieure (n. 34), ce qui complique encore le problème.

40 LA MADELEINE PÉNITENTE.

h/t 66×80 Besançon, Musée des Beaux-Arts

Retrouvée en 1947 dans les réserves du musée, cette copie, pour médiocre qu'elle soit, propose de multiples petites variantes par rapport à la *Madeleine Fabius* (masse de la chevelure, jeu des ombres, détail des plis) qui semblent indiquer qu'elle n'en saurait dériver directement. On peut supposer qu'outre le n. 34 La Tour exécuta deux versions proches, l'une en pied (*Madeleine Fabius*, n. 39), l'autre à mi corps, dont nous aurions ici l'écho. En l'absence de l'original il est évidemment difficile de préciser la situation chronologique de cette tierce version.

41 SAINT SÉBASTIEN SOIGNÉ PAR IRÈNE (à la lanterne).

h/t 105×139 Orléans, Musée des Beaux-Arts [Or. 47]

h/t 109×131 Rouen, Musée des Beaux-Arts

h/t 104×131 Kansas City, William Rockhill Nelson Gallery of Art

Certainement la composition de La Tour qui fut la plus célèbre. Si l'original n'a pas été retrouvé, dix copies au moins sont connues à ce jour.
Parmi les meilleures (indiquées ci-dessus) on compte l'exemplaire d'Orléans, qui figure dans l'inventaire de l'an XII des tableaux provenant des établissement religieux d'Orléans comme "école allemande, dans le goût de Scalf (*sic*)"; il fut signalé par Longhi dès 1927, puis retrouvé et publié par Mme Pruvost-Auzas en 1963. Copie de qualité passable, mais de coloris sans doute assombri. L'exemplaire de Rouen est entré au musée avec les saisies révolutionnaires; il fut reconnu par Longhi et signalé par Demonts dès 1922. Le dessin est

plus lisible que dans la copie d'Orléans, mais assez lourd. Le tableau de Kansas City fut acquis en 1950 sur le marché d'art à Amsterdam; parfois cité comme original (Nicolson 1969, Isarlo 1972; cat. Exp. Cleveland 1971, avec réserves), il est en fait une copie évidente, mais certainement la plus fidèle pour le coloris. D'autres copies de qualité moindre sont conservées au musée de Detroit (publiée comme original par Richardson en 1949), au musée d'Evreux (publiée en 1935 par Yvonne Lamiray), à la chapelle Notre-Dame-de-Grâce à Honfleur (publiée par M. de Champris en 1945), et dans plusieurs collections particulières de France ou d'autres pays.
Cette œuvre a été très diversement datée: tard (Sterling, 1934, Bloch, 1960, etc.) ou très tôt (Pariset, 1948: vers 1632-1633). Pour notre part nous es-

42 LE SOUFFLEUR A LA LAMPE. Dijon, Musée des Beaux-Arts (Granville).

h/t 61×51 s [Or. 16]

Signé en haut à droite: "De La Tour f". Découvert à Semur en 1960, chez une personne dont la famille possédait le tableau au moins depuis la fin du XIXe siècle, authentifié par Hermann Voss en 1968, acquis par Pierre et Kathleen Granville en 1972 et révélé la même année à l'exposition de l'Orangerie. L'un des rares exemples conservés des œuvres de La Tour destinées à une clientèle privée analogue à la clientèle bourgeoise des peintres nordiques (de fait on trouve dans les inventaires des notables lorrains du temps plusieurs mentions de "Souffleurs", dont en 1649 un "souffleur façon de La Tour"). Le ta-

41 copie Orléans

41 copie Rouen

41 copie Kansas City

43 [Pl. XXXV-XXXVIII]

timons qu'une date située vers 1638-1639 convient parfaitement: ce pourrait être le *Saint Sébastien* signalé par Dom Calmet comme offert à Louis XIII si, comme nous le croyons, ce don était destiné à obtenir le titre de Peintre ordinaire du Roi (1639; cf. *infra*, n. A 5).
Très fréquent depuis le moyen âge, le thème a connu avec les caravagistes et leurs successeurs (Borgianni, Terbrugghen et les nordiques, Bigot, Brébiette, Perrier, etc.) une faveur particulière, qu'expliquent sans doute la gravité des épidémies de peste (contre lesquelles était invoqué saint Sébastien), mais aussi l'espèce de dialogue amoureux et dévot à la fois que le goût du temps finit par proposer en interprétant librement la *Passio Sebastiani*: ce qui est ici le cas. On notera sur la droite la très vague esquisse d'un horizon, seul cas chez La Tour où est suggérée la présence d'un espace de plein air.

43 a copie

bleau reprend un thème bassanesque fréquemment traité par les caravagistes du nord (Lievens, Terbrugghen, Stomer...) avec ce même type de présentation (dimensions modestes, personnage à mi-corps) qui convient à la décoration des demeures: mais La Tour l'interprète avec une gravité qui refuse toute concession au pittores-

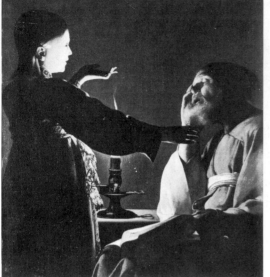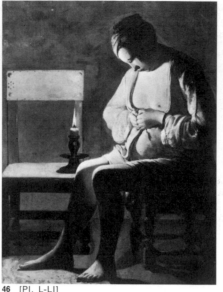

44 [Pl. XXXIX-XLI]   46 [Pl. L-LI]   51 [Pl. XLVII et IL]

que. La sensibilité de la facture et la tonalité générale indiquent à peu près la même période que le *Saint Joseph charpentier* (n. 43).

43 SAINT JOSEPH CHARPENTIER. Paris, Musée du Louvre (Percy Moore Turner).

⊞ h/t 137×101 [Or. 17]

Découvert en Angleterre (?) par Percy Moore Turner vers 1938, légué au Louvre en 1948 en souvenir de Paul Jamot. Unanimement accepté comme œuvre sûre et majeure, malgré l'absence de signature (bonne copie ancienne — et non réplique, même d'atelier — au Musée de Besançon, [Or. 52]. La franchise du réalisme, le souci de faire tourner les volumes, la décision et la plénitude de la touche (que confirme l'admirable image radiographique), la tonalité "prune" où n'intervient pas une grande zone de rouge, définissent nettement un moment du style (cf. également les nos. 42 et 44 qui s'y rattachent de façon directe). Le

44 L'ANGE APPARAISSANT A SAINT JOSEPH. Nantes, Musée des Beaux-Arts.

⊞ h/t 93×81 s [Or. 18]

Signé: "Gs. De La Tour...". Acquis par le musée en 1810 avec la collection Cacault (cf. les n. 25 et 68) sans provenance précise. Certainement quelque peu coupé sur la droite (signature rognée). Cette signature, oubliée, retrouvée (cat. de 1833), interprétée comme celle de Quentin de La Tour (cat. de 1854), puis de Le Blond de La Tour (Clément de Ris, 1872), et enfin de Georges de La Tour (Voss, 1915) a été, avec celle du *Reniement de saint*

début des années quarante semble s'accorder assez bien avec les principales datations proposées jusqu'ici (Pariset, Sterling). Le tableau allie, comme de nombreux textes religieux du temps, la dévotion envers Joseph, envers le Christ enfant, et envers la Croix, qu'évoque directement la poutre façonnée par le charpentier.

Pierre (n. 68) le point de départ de la résurrection du peintre. L'œuvre est d'une qualité de facture exceptionnelle (cfr. l'écharpe de l'enfant, qui par sa technique "impressionniste" évoque à la fois Velasquez et Vermeer...), quoique profondément différente de celle des grandes œuvres diurnes (n. 29 ou 31). On s'accorde généralement à reconnaître que le coloris rattache encore l'œuvre au *Saint Joseph* du Louvre (n. 43). En revanche le sujet a donné lieu à mainte discussion (Saint Pierre délivré par l'Ange, Saint Matthieu, Elie et Samuel, etc.); il semble qu'on y reconnaisse plus justement l'une des apparitions de l'Ange à saint Joseph.

44 bis TETE DE FEMME. Schloss Fasanerie, Adolphseck (près Fulda).

▦ h/t

Catalogué comme Caravage, mentionné et reproduit par B. Nicolson en 1979 comme "at-

tribution incertaine" à La Tour, ce tableau n'a jamais été exposé ni discuté par les spécialistes. Il s'agit manifestement d'un fragment (d'une *Nativité*? d'un *Saint Sébastien*?). A en juger par la photographie, nous inclinons à penser qu'il provient d'un original de La Tour.

45 LA MADELEINE PÉNITENTE (dite MADELEINE WRIGHTSMAN ou MADELEINE AUX DEUX FLAMMES). New York, Metropolitan Museum.

⊞ h/t 134×92 [Or. 19]

Découverte en 1961 en Côte-d'Or par H. Comte dans une famille française à qui elle appartenait depuis le milieu du XIXᵉ siècle, et publiée par F.-G. Pariset. Passée de la Galerie Heim à la collection Wrightsman en 1963. L'œuvre a d'abord déconcerté, notamment par la présence du cadre doré, jugé à tort d'un style postérieur à l'époque de La Tour. Elle a gravement souffert dans certaines parties, défigurées par des crevasses profondes (visage, poitrine et corsage, cadre), et a dû subir deux restaurations poussées. Elle s'est pourtant imposée à l'Exposition de 1972 par sa qualité poétique et a été unanimement acceptée et admirée. Son coloris particulier semble la laisser non loin du *Saint Joseph charpentier* et de l'*Ange apparaissant à saint Joseph* (n. 43 et 44).

46 LA FEMME A LA PUCE. Nancy, Musée Historique Lorrain.

⊞ h/t 120×90 [Or. 20]

Découverte en 1955 dans une famille de Rennes, sans origine précise, par Mlle Berhaut, publiée par F.-G. Pariset, aussitôt acquise par le Musée Lorrain. Malgré l'absence de signature, le tableau a été unanimement accepté comme de la main de La Tour, et regardé comme l'une de ses œuvres majeures. Le sujet, d'abord mis

en question (thème religieux? repentir après la faute? premières douleurs de l'enfantement?) semble définitivement fixé comme celui de la femme qui s'épuce (la puce est visible entre les ongles; une seconde apparaît en pleine lumière sur le ventre): thème fréquent au XVIIᵉ siècle, surtout dans le Nord, mais traité aussi à Rome (avec la même gravité) par Bigot (Galerie Doria). En revanche la date du tableau a entraîné les dissensions les plus notables: œuvre du début de la carrière (Pariset, 1963), ou marquant la transition entre diurnes et nocturnes (Nicolson), ou tardive L'Exposition de 1972 a souligné la parenté avec le *Job* (n. 66) que créent à la fois l'étrangeté du sujet et les grandes zônes de rouge posées en à-plat: ce qui inviterait à choisir la dernière datation. Mais la facture plus tourmentée s'apparente encore aux œuvres médianes: ce que confirme l'image radiographique, d'un aspect entièrement différent de celle du *Job*, et proche au contraire de celle de la *Madeleine Terff* (n. 47). Il est du reste possible qu'il s'agisse (comme pour celle-ci) d'une composition relativement précoce, reprise par la suite dans un langage différent, qui accentue la géométrie, mais respecte certains aspects de la première manière (modelé rond de la tête, forme des mains, etc.).

47 LA MADELEINE PÉNITENTE (dite MADELEINE TERFF). Paris, Musée du Louvre.

⊞ h/t 128×94 s [Or. 21]

Signée: "... La Tour fecᵗ". Acquise à Paris par Camille Terff vers 1914, entrée en 1949, après diverses péripéties judiciaires, au Musée du Louvre. La plus accomplie des *Madeleine* que nous conservions. Elle reprend avec de nombreuses variantes une composition antérieure (n. 38) dont elle offre une image plus grave, plus dépouillée: sa stylisation, comme sa tonalité très différente, donnent à penser qu'elle lui est nettement

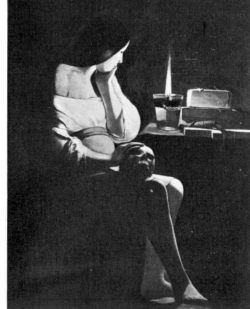

45 [Pl. XLII et XLIV]   47 [Pl. XLIII et XLV]

postérieure. Avec elle semble s'ébaucher dans le style de La Tour ce tournant qui conduira vers l'*Adoration des Bergers* (n. 50) et les œuvres des dernières années. Une petite copie ancienne, excellente et sur sa toile d'origine, a été récemment découverte dans le midi de la France.

48 TÊTE DE FEMME (NATIVITÉ [?]). Paris, Collection Pierre Landry.

fr h/t 38×30 [Or. 24]

Le fragment est apparu vers 1930 à Munich (coll. Fischmann); publié par Vitale Bloch (1930), il a été acquis vers 1942 par le présent propriétaire. Il s'agit manifestement d'un morceau usé dans les parties secondaires, qui a été découpé dans une grande composition détruite (*Nouveau-né* ou *Adoration des bergers* (?), mais un sujet comme l'*Education de la Vierge* n'est pas exclu...). La qualité du profil, assez bien conservé, a fait admettre généralement (Bloch, 1930, Pariset, 1948, etc.) qu'il s'agissait d'un original, à situer sans doute assez près de l'*Adoration des bergers* (n. 50) du Louvre.

49 LA NATIVITÉ.

h/t 1644

Offert par Lunéville au Gouverneur de la Lorraine La Ferté comme cadeau pour la fin d'année 1644; décrit dans les comptes de la ville (fin 1644-début 1653) et dans l'inventaire des tableaux du Maréchal de La Ferté (octobre 1653) comme une "Nativité de Nostre Seigneur en nuit"; payé à l'artiste 700

44 bis

48

50 [Pl. XLVI et XLVIII]

fr., somme fort considérable. L'assimilation avec l'*Adoration des bergers* du Louvre a été proposée par plusieurs auteurs (cf. la notice du n. 50).

50 L'ADORATION DES BERGERS. Paris, Musée du Louvre.

h/t 107×137 [Or. 22]

Découvert à Amsterdam en 1926, attribué à La Tour par H. Voss et acquis par le Louvre la même année. Nettement rogné à droite et surtout dans le bas, où devaient apparaître les pieds de Joseph et la partie inférieure de la crèche (cf. la très médiocre copie d'Albi [Or. 53], qui semble restituer la composition intacte; reprod. fig. 50ᵃ). Assez usé dans quelques parties, le tableau reste de haute qualité et a toujours été regardé comme un original assuré. Souvent rapproché (Sterling 1934, Nicolson 1971, etc.) de la *Nativité de Notre Seigneur* peinte à la fin de 1644 et offerte par Lunéville au Gouverneur de Lorraine: date qui, stylistiquement, semble assez bien lui convenir. Mais on ne peut exclure l'éventualité d'une reprise légèrement postérieure.

51 LES LARMES DE SAINT PIERRE. Cleveland, Museum of Art.

h/t 114×95 s d 1645 [Or. 23]

Signé et daté en haut à droite "Georgˢ de La Tour Inveᵗ et Pin... 1645", ce tableau apparut en 1950 sur le marché londonien; il était déclaré — sans preuves documentées — avoir fait partie d'un lot de toiles qui se trouvaient encore à la Galerie de Dulwich vers le milieu du XIXᵉ siècle, et il fut acquis en 1951 par le musée de Cleveland. Reprise d'un thème très fréquent au XVIIᵉ siècle et que La Tour avait lui-même traité en tableau diurne (cf. les n. 4 et 5), l'œuvre a d'abord déconcerté par son effet expressionniste et un accent "baroque" qu'on croyait étranger à La Tour. Au rebours, on serait tenté d'y désigner un point d'équilibre entre les recherches naturalistes antérieures et les effets de stylisation qui vont aller s'accentuant.

50 a copie

52 L'EDUCATION DE LA VIERGE (au livre). New York, Frick Collection.

h/t 83,8×100,4 s

Signé: "de la Tour f.". Découvert dans le midi de la France, signalé pour la première fois en 1947 par Isarlo, acquis en 1948 par la collection Frick. La composition était déjà connue par une excellente copie ancienne (Paris, Louvre [Or. 54]). Personne n'a mis en doute que l'invention fût de La Tour. En revanche l'exemplaire Frick, qui offre une couleur crue et une facture sommaire, a été sévèrement jugé malgré sa signature: douteux (Pariset 1948, Bloch 1950), réplique (Sterling 1951, Pariset 1964), œuvre d'atelier (Nicolson 1969), œuvre d'Etienne (Wright 1969, et le rédacteur même du catalogue de la collection Frick, 1968), copie ancienne avec signature ajoutée (Rosenberg 1972). Pour notre part, nous y voyons au contraire un original dûment si-

gné par Georges de La Tour lui-même, mais ravagé par un nettoyage impitoyable qui — sauf pour quelques petits détails mieux préservés — a enlevé tous les glacis (rentoilage et restauration ont été exécutés avant l'entrée au musée), et ruiné l'œuvre sans remède.

53 L'EDUCATION DE LA VIERGE (au livre).

h/t 126×88 Kreuzlingen, Collection Heinz Kisters [Or. 54 bis hc]

Cette copie, connue depuis plusieurs années, mais publiée seulement en 1972 (Cat. Exp. Orangerie, 2ème éd., p. 255 et reprod.), offre la même composition que le n. 52, mais cette fois en pied. L'aspect est assez conforme à l'esprit de La Tour pour que l'on puisse penser que ce dernier avait lui-même peint, à peu près vers le même temps, une variante en hauteur dont cette copie conserverait le souvenir.

54 L'EDUCATION DE LA VIERGE (à la broderie).

fr h/t 57×44 (connu comme LA FILLETTE AU RAT-DE-CAVE ou L'ENFANT A LA CHANDELLE). Detroit, Institute of Arts [Or. 25]

h/t 82×95 Cisano sul Neva (Savona), Collection du Marquis R. del Carretto [Or. 55]

Le fragment, découvert en Lorraine par l'érudit et collectionneur Ch. Friry (cf. le n. 24) vers le milieu du XIXᵉ siècle, passé en Amérique après 1934, a été acquis par le musée de Detroit en 1938. Très usé et restauré, notamment dans le vêtement, le fond et une grande partie du visage (lacéré en 1945), il offre un aspect assez ingrat. La dernière remise en état a fait réapparaître nettement les traces du coussin et des doigts de la Vierge, prouvant que l'enfant a bien été découpé dans une composition complète, et l'étude en laboratoire a permis de penser

52

53 copie

54   54 copie   55 copie

qu'il s'agissait de l'original. La copie, retrouvée en Italie (1971) et présentée à l'exposition de 1972, restitue l'ensemble; elle permet de songer à une date intermédiaire entre l'*Education de la Vierge au livre* et le *Saint Alexis* de 1648.

55 L'EDUCATION DE LA VIERGE (au livre).

h/t 74×85
Dijon, Musée des Beaux-Arts.

Entré au musée avec la collection Devosges, publié par Pierre Quarré (1943), ce tableau ne paraît d'abord qu'une nouvelle copie du n. 52, où une main passablement malhabile aurait vieilli le personnage de sainte Anne. Mais comme l'a bien vu F.-G. Pariset (1948) quelques détails, tels la broderie de la coiffe ou le décor du col, avec ses larges ronds brodés, ne peuvent être de l'invention du copiste. Bien au contraire, ils appartiennent au répertoire le plus personnel de La Tour (ce type de col se rencontre dès l'*Apparition de l'Ange à saint Joseph* de Nantes [n. 44] ou l'*Adoration des bergers* du Louvre [n. 50]; il se retrouve ensuite de plus en plus souvent: cf. le *Nouveau-né* de Rennes [n. 57], le *Job* d'Epinal [n. 66]...). On est donc conduit à voir ici l'écho d'une troisième version de l'*Education de la Vierge au livre*, à mi-corps comme le n. 52, mais avec des visages modifiés et quelques variantes qui semblent désigner une date plus tardive.

56 LE NOUVEAU-NÉ.

fr (?) 66×54,6
(SAINTE ANNE ET LA VIERGE AU MAILLOT). Collection particulière

Le tableau a été révélé à New

56

York, où il se trouvait dans le commerce d'art, en 1943, et l'on ignore son origine. Il se rapproche de très près de la partie droite du *Nouveau-né* n. 35: mais les variantes sont assez importantes pour faire penser à l'existence d'une autre version.

Il est manifestement très repeint et nous n'avons pu l'étudier directement: de sorte que nous ne pouvons décider si nous sommes en présence d'un tableau complet (le sujet se rencontre au XVIIe siècle, et dans l'inventaire de Claude Deruet, par ex., est mentionnée une *Sainte Anne et la Vierge au maillot*), ou, ce qui est plus probable, du fragment, original repeint ou copie, d'une grande composition détruite (c'est comme original de La Tour qu'il a été exposé plusieurs fois, notamment en 1943 et 1946 à New York, en 1960 et en 1965 à Montréal).

57 LE NOUVEAU-NÉ. Rennes, Musée des Beaux-Arts.

h/t 76×91 [Or. 26]

Peut-être le plus célèbre des tableaux de La Tour. Entré au musée en 1794 comme saisie révolutionnaire (sans qu'on sache chez qui il fut confisqué), et toujours regardé comme une œuvre de qualité exceptionnelle. Admiré par Clément de Ris (1861), Taine (1863), Gonse (1900), etc. (cf. la *Fortune critique*); copié, sous forme d'esquisse par Maurice Denis. Le premier tableau non signé rendu à La Tour (Voss, 1915), attribution qui malgré cette absence de signature n'a jamais été remise en doute. Il existe une jolie copie ancienne (La Haye, 25×27) signalée dès 1934 par Charles Sterling; une seconde, qui proviendrait de Bretagne, est actuellement conservée dans une collection privée du Nord de la France.

L'œuvre a toujours vivement frappé par l'alliance paradoxale de la sensibilité et du style. Elle reprend le thème des *Veilleuses* (n. 35) dans une composition à mi-corps, plus resserrée, dépouillée jusqu'au "cubisme", et d'un effet plus saisissant. On a proposé une datation précoce (Pariset, 1963: vers 1630), ce qui semble exclu. Par le coloris, le tableau s'apparente directement au groupe des *Education de la Vierge*, et semble donc à situer entre 1645

57 [Pl. LII-LIV]

et 1648. Mais la radiographie révèle une matière plus légère encore que celle du *Saint Sébastien* de 1649 (n. 64), et qui s'apparente à celle du *Job* (n. 66). On ne peut exclure entièrement l'hypothèse d'une première version perdue remontant aux alentours de 1640 (cf. n. 35), reprise à une date tardive (vers 1648-1651).

58 LE SOUFFLEUR A LA PIPE. France, collection particulière.

h/t 70,5×62,5 s

Cette composition — nouvel exemple de la production de petits tableaux destinés à orner les intérieurs bourgeois — semble avoir eu grand succès, et l'on en connaît quelque huit exemplaires. Celui du City Art Museum de Saint Louis (U.S.A.) fut publié en 1935 par Phillippe, alors qu'il se trouvait dans la collection Tulpain à Vaudoncourt dans les Vosges; il fut acquis par le musée en 1956. Souvent considéré comme l'original (Pariset, 1948), il est

58

59

aujourd'hui généralement rejeté. Une autre copie, au musée Lorrain de Nancy, fut publiée elle aussi en 1935, par Vitale Bloch; elle appartenait alors à la collection Dorr de Versailles et a fait ensuite partie de la collection du Maréchal Goering. Une autre, au musée des Beaux-Arts de Besançon, provient du fonds ancien du musée, où elle était attribuée à un anonyme hollandais. Une quatrième copie est passée plusieurs fois en vente, en pendant avec une *Fillette au braisier* (Paris, Galerie Charpentier, 5-6 décembre 1957, et 8-9 juin 1959). Quatre autres, de qualité secondaire, subsistent en collection particulière. Enfin, un exemplaire signé *La Tour fec.* a été découvert dans le midi de la France en 1973. Il a été publié par P. Rosenberg comme original; mais B. Nicolson n'y reconnaît qu'une œuvre d'atelier. Il est possible qu'aient existé d'autres exemplaires de plus haute qualité, par exemple cet "homme soufflant sur un tison pour allumer une pipe" signalé au début du XIXe siècle à Cadix et sans doute signé, lui, avec le pré-

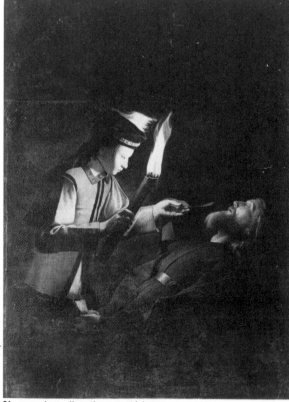

61 avec les adjonctions postérieures

nom (cf. A 11). Type et facture, autant qu'on en puisse juger par l'exemplaire connu, semblent renvoyer à une date très proche du *Saint Alexis* (n. 61).

59 LA FILLETTE AU BRAISIER. ... (Etats-Unis), Collection particulière.

h/t 67×55 s

Signé de façon peu lisible. Aurait été découvert à Toulouse vers 1940, puis acquis à Nice par Jean Neger vers 1947; passé plusieurs fois en vente à Sotheby (28 juin 1957, 10 juillet 1968) et Christie (28 novembre 1975). Il existe plusieurs autres exemplaires qui sont des copies manifestes (l'un à Guy Stein vers 1936; un autre dans la collection Henri Cuvet à Paris en 1972 [Or. 58]; un troisième en pendant à un *Souffleur à la pipe*, passé avec lui plusieurs fois en vente (cf. la notice du n. 58). L'exemplaire ici catalogué a jadis été mis en doute (Isarlo, 1941), puis généralement accepté après la découverte de la signature (Arland-Marsan, 1953, etc.), derechef mis en doute à la suite d'une mauvaise lecture (Cat. Exposition 1972, notice du n. 58). Sa restauration semble avoir restitué une signature de forme normale et, malgré l'usure, une qualité suffisante pour faire penser à un original.

60 SAINT ALEXIS.

h/t 1648

Mentionné dans les comptes de Lunéville comme "un tableau représentant l'image St Alexis, acheté (du Sieur George de La Tour) pour faire présent à Monsieur le Marquis de La Ferté, Gouverneur de Nancy, pour en recevoir protection au bien et soulagement de la Communauté"; payé à l'artiste 500 francs. On peut présumer que le Gouverneur en fit assez promptement don à quelque personne ou quelque communauté, car on ne retrouve pas le tableau dans son inventaire en 1653. Il est généralement admis que la composition se confond avec le n. 61.

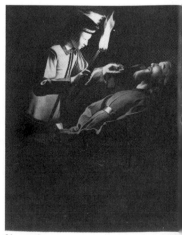

61 copie

96

61 LA DECOUVERTE DU CORPS DE SAINT ALEXIS.

☐ h/t 158×115 Nancy, Musée Historique Lorrain [Or. 59]

⊞ h/t 143×117 Dublin, National Gallery of Ireland [Or. 60]

L'une des compositions les plus émouvantes de La Tour, sans doute l'"Image saint Alexis" (cf. n. 60) peinte à la fin de 1648: date qui s'accorde fort bien avec le style de l'œuvre.

L'exemplaire de Dublin, découvert en Belgique vers 1952, acquis en 1968 par le musée, salué à son apparition comme un original (Pariset 1955, Colemans 1958), n'est manifestement qu'une copie ancienne. Son mérite est de restituer la composition dans son format originel. L'exemplaire de Nancy avait été découvert dans un grenier de la ville dès 1938; une importante mutilation dans le bas, une vaste addition dans le haut, lui donnent une atmosphère plus "rembranesque". Il fut d'abord unanimement accepté pour l'original (Pariset, 1938; Jamot, 1942; Furness, 1949; Sterling 1951; Bloch, 1950 et 1953; etc.), puis, après la découverte de l'autre exemplaire, ravalé au rang de copie. Sa qualité reste haute. A cette date de 1648 la collaboration d'Etienne est probable. Dans l'attente d'une étude scientifique de la toile, il convient de se demander s'il ne s'agit pas d'un original quelque peu durci par les nettoyages et les restaurations, et où Etienne aurait déjà pris une part étendue dans l'éxécution.

62 LES LARMES DE SAINT PIERRE (dit aussi faussement ERMITE PRIANT DANS UNE GROTTE).

⊞ h/t 107×85 ... (France), Collection particulière [Or. 61]

Le tableau, signalé en 1966 dans une famille française à laquelle il appartenait depuis longtemps par René Crozet, publié par Pariset (1967), a été unanimement considéré comme une excellente copie ancienne (Pariset, 1967; Tanaka 1969; etc.). La composition originale devait se situer à une date proche du *Saint Alexis* de 1648 (n. 61), très voisin de style et d'esprit.

63 SAINT SÉBASTIEN DANS UNE NUIT.

⊞ h/t 1649

Commandé en 1649 par Lunéville comme cadeau de fin d'année au Gouverneur de Lorraine La Ferté; apporté à Nancy en décembre. Payé à l'artiste 700 francs (sans compter 6 francs donnés à sa fille). Inventorié en 1653 dans la collection de La Ferté (le document précise bien qu'il s'agit d'un *Saint Sébastien* "en nuict"). On s'accorde désormais à penser qu'il s'agit du n. 64 ou 65.

64 SAINT SÉBASTIEN SOIGNÉ PAR IRÈNE (à la torche). Paris, Musée du Louvre.

⊞ h/t 167×130 [Or. 28]

Découvert en 1945 dans la petite église de Bois-Anzeray, sans origine précise. Restauré et exposé temporairement au Louvre, salle Denon, en 1948. Reproduit et défendu alors par Mlle Thérèse Bertin-Mourot ("Arts", 8 août 1948), mais d'abord regardé comme peut-être œuvre d'atelier (Bloch, 1950), ou même simple copie (Charmet, 1958, etc.) avant d'être de plus en plus admis comme original (Nicolson, 1958) et placé au-dessus de l'exemplaire de Berlin. Ce qu'ont permis de confirmer l'exposition de 1972, et la radiographie, qui révèle d'importants repentirs et souligne la beauté de la facture. Le tableau a été définitivement acquis par le Louvre en 1981. La sensibilité de l'atmosphère, la subtilité des accords colorés, l'admirable tache bleu lapis du voile (à peine sensible dans l'exemplaire de Berlin, où il est peint avec une matière moins coûteuse), emportent tous les doutes touchant sa qualité d'original. La composition reprend le thème du saint Sébastien précédemment traité (n. 41), mais cette fois sur le schéma de la *Mise au tombeau* du Caravage et dans l'esprit sévère des *Déploration*.

64 [Pl. LV-LVI]

65

La retenue de l'expression, la stylisation "cubiste" des formes ont toujours frappe. Le rapport avec le *Saint Sébastien* offert par Lunéville à La Ferté à la fin de 1649 a été souvent relevé (Jamot, 1939; Pariset, 1948) et semble désormais unanimement reconnu.

65 SAINT SÉBASTIEN SOIGNÉ PAR IRÈNE (à la torche). Berlin, Staatliche Museen.

✳ h/t 162×129 [Or. 27]

Aurait été acquis à Bruxelles en 1906; passé dans la collection Stillwell à New York; vendu en 1927, acheté par la Galerie Matthiessen de Berlin qui le donne au Kaiser Friedrich Museum. Unanimement regardé comme original, même après la découverte de l'exemplaire de Bois-Anzeray, puis mis en doute par de nombreux critiques qui le regardent comme belle copie ancienne (surtout depuis la confrontation des deux exemplaires à l'Exposition de 1972). Le tableau est en effet plus froid de technique, les personnages sont plongés dans une atmosphère plus opaque, le voile bleu n'est pas peint avec du lapis. Il semble que la radiographie n'indique pas de repentirs. Toutefois la qualité reste exceptionnelle, et sans commune mesure avec les copies reconnues (Chambéry, cf. le n. 22; Besançon, cf. le n. 43; Dublin, cf. le n. 61). On se souviendra que La Tour a l'habitude de répéter ses compositions: et il serait normal qu'il l'ait fait pour celui-ci, la plus ambitieuse que nous conservions de lui, avec ses cinq personnages en pied. Certes, il introduit d'ordinaire de multiples variantes. Mais dans les dernières années la présence d'un collaborateur dans l'atelier, en la personne d'Etienne, modifie entièrement les conditions de travail. Aussi croyons-nous reconnaître ici une réplique, sans doute préparée par Etienne, mais achevée de la main de Georges, et qui a droit de conserver le titre d'original.

66 JOB ET SA FEMME. Epinal, Musée Départemental des Vosges.

⊞ h/t 145×97 s [Or. 29]

Acquis par le musée en 1825 comme "école italienne" avec la collection du peintre Krantz, natif de Nancy; rapproché dès 1900 du *Nouveau-né* de Rennes (n. 57) par Gonse; attribué en 1922 à La Tour par Demonts; objet, en 1972, d'une restauration attentive qui a permis de découvrir la signature "... De La Tour...". Le tableau a toujours été considéré comme une œuvre majeure de l'artiste. Les discussions ont surtout porté sur le sujet: "Le prisonnier" (Philippe, 1929); saint Pierre délivré par l'Ange (Sterling, 1934; Jamot, 1939); une des œuvres de Miséricorde (Longhi, 1935); Saint Alexis (Jamati, 1950). L'accord semble fait désormais pour Job interpellé

par sa femme (explication proposée par Jean Lafond et le Dr Ronot [1935] et développée par Weisbach [1936]). La datation ne pose pas moins de problèmes: œuvre de jeunesse (Sterling, 1934), ou de transition (Blunt, 1953 et 1970), ou tardive (Pariset, 1963). Cette dernière solution paraît seule convenir à l'extraordinaire stylisation de l'œuvre et à la puissante originalité de l'inspiration. Ce que semble confirmer la radiographie, qui révèle une image particulièrement subtile, impossible à situer à un autre moment. Pour notre part, nous n'hésiterons pas à voir ici la dernière œuvre conservée qui soit entièrement de la main de La Tour.

62 copie

67 LE RENIEMENT DE SAINT PIERRE.

⊞ h/t 1650

Mentionné par les comptes de Lunéville comme commandé, sans doute à la fin de 1650, pour le présent de fin d'année au Maréchal de La Ferté; payé 650 francs; remis seulement au mois de mars au Maréchal; mentionné en 1653 dans son inventaire qui précise bien: tableau "en nuict". On l'assimile généralement au tableau suivant (n. 68) qui porte justement la date de 1650.

66 [Pl. LVII-LIX]

68 [Pl. LX-LXI]

69 copie

70 copie

71 [Pl. LXII-LXIV]

68 LE RENIEMENT DE SAINT PIERRE. Nantes, Musée des Beaux-Arts.

h/t 120×160 s d 1650 [Or. 30]

Signé: "G*. de la Tour in et fec MDCL". Acquis par Nantes en 1810 avec la collection Cacault (cf. le n. 25), sans provenance précise, d'abord attribué à Seghers (Cat. 1833), puis à l'Ecole flamande (Cat. 1843), puis à La Tour après la découverte de la signature (1861), le tableau a été, avec le n. 44, la source du rapprochement décisif fait par Voss en 1915 avec les mentions lorraines d'un La Tour peintre de nuits. Généralement assimilé avec le *Reniement de saint Pierre* que les comptes de Lunéville disent offert au Gouverneur La Ferté au début de 1651. Plusieurs historiens ont fait des réserves, parfois exagérées, sur la qualité du tableau, allant jusqu'à y voir une œuvre d'Etienne (Wright, 1969). Cette hypothèse nous paraît exclue, et la composition revient certainement à Georges. Mais à cette date la collaboration du père et du fils est plausible (cf. la *Chronologie*, 1646); nous sommes d'autant plus tenté de l'admettre ici que la radiographie offre une image assez différente de celle des tableaux précédents. D'autre part la critique s'est souvent étonnée de voir l'auteur du *Saint Sébastien* reprendre tardivement un thème caravagesque par excellence (Manfredi, Valentin, Rombouts, etc.) sans chercher à renouveler le schéma traditionnel. La composition a été rattachée à un tableau de Seghers gravé par Bolswert (Pariset, 1949). Les rapports restent très lointains; La Tour obtient un effet tout personnel grâce à sa science de l'éclairage (double source cachée) et à la schématisation poussée des volumes: mais celle-ci, paradoxalement, s'allie à un pittoresque violent évoquant les œuvres très antérieures. En fait il est possible que pour cette commande de Lunéville La Tour ait repris, plus ou moins librement, et dans le coloris et les formes stylisées des dernières années, une création nettement plus ancienne, et qu'il en ait confié la préparation à son fils, se réservant d'y mettre la dernière main. Ce qui expliquerait à la fois l'archaïsme inattendu de la composition, la différence de style avec une œuvre voisine comme le *Saint Sébastien* (n. 65), et le caractère particulier de la radiographie elle-même.

68bis LE JEUNE CHANTEUR. Leicester, the Leicester, Museum and Art Gallery (Angleterre).

h/t 66,7×50,2

Dernière œuvre réapparue de La Tour, ce tableau, découvert en Angleterre vers 1980, a été acquis en 1983 par le musée de Leicester et publié par Christopher Wright en 1984 (*The Burlington Magazine*, juin 1984, p. 351). Il s'agit d'un sujet fréquent à l'époque (voir D 16 et D 17) et les archives de

Nancy suggéraient que La Tour l'avait lui aussi traité: probablement l'a-t-il même répété à plusieurs reprises et à des dates successives, comme le thème du jeune fumeur, pour une clientèle relativement modeste. Nous ne connaissons encore l'œuvre que par la photographie: mais elle nous semble appartenir à la dernière période de l'artiste, et la collaboration d'Etienne n'est pas exclue.

69 SOLDATS JOUANT AUX CARTES.

h/t 89×110 Koursk, U.R.S.S., Galerie régionale

h/t 93×123 Paris, Collection particulière [Or. 62]

La composition n'est connue que par ces copies anciennes, sommaires, mais dont on ne saurait douter qu'elles renvoient à une œuvre de La Tour. La qualité est trop médiocre pour qu'on puisse se risquer à des hypothèses chronologiques. Il est prudent de laisser ce tableau aux côtés du *Reniement de saint Pierre* (n. 68), à qui le rattachent des liens évidents. Voir d'autre part *infra*, n. A 7.

70 LES JOUEURS DE DÉS.

h/t ... (Grande-Bretagne), Collection particulière.

Malgré l'impression première, cette copie pourrait renvoyer, non pas à une adaptation du n. 71 par un autre peintre de qualité très secondaire (Etienne après 1652?), mais simplement à un autre original perdu de Georges de La Tour. Nous serions une fois de plus en présence d'un "doublet". Mais la copie est maladroite, la poésie de La Tour a disparu, l'écho est trop lointain pour qu'on puisse risquer une datation ferme de l'original (version antérieure à l'original du n. 71?), et nous nous contentons de laisser côte à côte les deux tableaux.

71 LES JOUEURS DE DÉS (cinq figures). Middlesbrough, Teesside (Grande-Bretagne), Museum.

h/t 92,5×130,5 s (?) [Or. 31]

Fait partie d'un legs de tableaux fait au Borough de Stockton on Tees (Comté de Durham) en 1930; mentionné dans l'inventaire de 1934 sous la juste attribution; découvert seulement au début de 1972 et révélé au public lors de l'Exposition de l'Orangerie. Sa réapparition fit grand bruit dans toute la presse anglaise, française et étrangère. Le tableau reste pourtant sujet à caution. La signature, "George De La Tour Inve¹ et Pinx." (fig. 16), à notre avis, est apocryphe, mais pourrait recopier et même recouvrir une signature authentique, peut-être effacée lors d'un nettoyage ancien trop poussé. La facture a soulevé certains doutes, et par endroits évoque l'idée de copie; l'image radio-

68 bis

graphique souligne encore la pauvreté de la matière picturale. Par ailleurs le tableau offre avec le *Reniement de saint Pierre* (n. 68) des affinités assez étroites, notamment dans le coloris, pour qu'on s'accorde généralement à le placer à une date toute voisine (vers 1650-1651). S'agirait-il d'une œuvre d'Etienne, frauduleusement signée du nom de son père? Nous ne le croyons pas. On peut songer aussi à une œuvre de Georges laissée ébauchée à sa mort et achevée par Etienne: mais en ce cas l'image radiographique serait différente. Nous croyons plus simplement à la reprise d'une composition ancienne et peut-être célèbre (l'inspiration se rattache encore à celle du *Tricheur*, par exemple [cf. *infra*], et il existe des affinités de style frappantes avec le premier *Saint Sébastien*, n. 41) dans une toile conçue avec le coloris et la stylisation des dernières années, préparée et exécutée en bonne partie par Etienne (d'où l'image radiographique), et seulement retouchée par Georges (d'où la signature, et les subtilités magistrales conservées dans certaines parties — tête de droite, empâtements —, enlevées dans d'autres par le nettoyage). Il semble de toute façon que l'invention renvoie directement à Georges. Le sujet allie le thème des joueurs à celui du corps de garde, comme il est fréquent au XVIIᵉ siècle. Le fait singulier est ici que le plus jeune homme semble non seulement être dupé par ses partenaires, mais se faire dérober sa bourse par le fumeur âgé de gauche; le tableau rejoint ainsi la *Diseuse de bonne aventure* (n. 29) ou le *Tricheur* (n. 28 et 30) dans la même et cruelle leçon morale.

Œuvres attribuées par les textes avant 1915

Nous donnons ici les renseignements essentiels sur des œuvres qui, attribuées à La Tour par les textes avant 1915, sont aujourd'hui disparues et, faute de copies ou d'autres témoignages graphiques, sont sans date précise. La liste est classée par sujets.

A 1. LA DÉRISION DU CHRIST.

h/t

Cité dès 1653 dans la collection du Maréchal de la Ferté comme une "nuit" représentant "un Christ bandé avec un juif qui le frappe" et prisé 80 livres; peut-être un des tableaux offerts au Gouverneur de la Lorraine par Lunéville en 1645, 1646 ou 1651, années pour lesquelles nous n'avons pas de précisions sur le cadeau reçu par La Ferté. De toute façon le tableau avait toute chance d'avoir été peint entre 1643 et 1652. Le sujet est fréquent au XVIIᵉ siècle (cf. les compositions, certainement très proches, de Trophime Bigot, Prato, Galleria Comunale, et Macerata, Palazzo Marefoschi).

A 2. SAINTE ANNE.

h/t

Cité dès 1653 dans l'inventaire des tableaux du Maréchal de La Ferté comme "un tableau représentant en nuit Sainte Anne", et prisé 50 livres. Peut-être un des tableaux offerts au Gouverneur de la Lorraine par Lunéville en 1645, 1646 ou 1651, années pour lesquelles nous n'avons pas de précisions sur le cadeau annuel reçu par La Ferté. L'assimilation avec l'une des *Education de la Vierge*, souvent désignées comme *Sainte Anne*, n'est aucunement exclue (cf. les notices des n. 52, 53, 54 et 55).

A 3. SAINT JÉRÔME.

h/t

Mentionné en 1643 à Paris, dans l'antichambre du Cardinal de Richelieu, lors de son inventaire après décès (n. 1084), et estimé (par Simon Vouet lui-même) 250 livres (autant qu'un Sacchi, plus que les Guerchin). Le tableau avait sans doute été peint vers 1638-1639, et peut-être donné au Cardinal pour obtenir le titre de peintre ordinaire du roi, ou commandé par lui à cette occasion. Un rapport avec le *Saint Jérôme* de Stockholm, où le chapeau cardinalice est placé très en évidence, ne peut être exclu.

A 4. LE RENIEMENT DE SAINT PIERRE.

h/t ca. 95×130

Mentionné en 1641 à Paris lors de l'inventaire après décès du Surintendant des finances, Claude de Bullion, comme "une Nuit représentant saint Pierre lorsqu'il renie Notre-Seigneur, peint par Latour, garni de son chassis et de sa bordure d'or bruni" (acte découvert par C. Grodecki et publié par M. Antoine, 1979). Le tableau avait dû être peint vers 1638-1639, au moment où La Tour cherche à s'installer à Paris; on notera que l'acte de 1639 (voir *Biographie*) est précisément signé de Bullion, au demeurant grand amateur et mécène.

A 5. SAINT SÉBASTIEN DANS UNE NUIT.

h/t

Cité en 1751 par Dom Calmet: "[La Tour] présenta au Roi Louis XIII un tableau de sa façon, qui représentait un Saint Sébastien dans une nuit; cette pièce était d'un goût si parfait que le Roi fit ôter de sa chambre tous les autres tableaux pour n'y laisser que celui-là". L'œuvre était donc antérieure à 1643 (mort du roi); nous croyons qu'elle dût être offerte vers 1638-1639, pour obtenir ce titre de "Peintre ordinaire du Roy" que La Tour porte au moins dès la fin de 1639 (acte du 22 décembre).
Nous n'avons découvert aucune trace de ce *Saint Sébastien* dans les inventaires des collections royales (rédigés à la fin du siècle). Mais il y a lieu de penser qu'il s'agissait de l'original du n. 41, si célèbre qu'ont été retrouvées au moins une dizaine de copies.

A 6. SAINT SÉBASTIEN DANS UNE NUIT.

h/t

Cité également en 1751 par Dom Calmet, qui, après la mention du *Saint Sébastien* (n. A 3) offert au Roi ajoute: "La Tour en avait déjà présenté un pareil au Duc Charles IV. Ce tableau est aujourd'hui dans le château de Houdemont". L'œuvre devait donc être antérieure à 1643, et même 1639 (cf. notice du n. A 3); on est même porté à penser qu'elle remontait aux années paisibles où Charles IV résidait à Nancy, soit entre 1624 et 1634: indication précieuse pour la date des premières nuits.
Ici encore, nous n'avons retrouvé aucune trace de l'œuvre dans les archives. Le texte de Dom Calmet ne permet pas de décider s'il s'agissait d'une composition entièrement identique à celle qui fut offerte à Louis XIII ou — ce qui paraît plus vraisemblable — d'une première version sensiblement différente.

A 7. DEUX JOUEURS DE CARTES.

h/t

Cité dès 1653 dans la collection du Maréchal de La Ferté comme "deux joueurs de cartes avec Tyr... (?)" et prisé 200 livres. Peut-être un des tableaux offerts au Gouverneur de la Lorraine par Lunéville en 1645, 1656 ou 1651, années pour lesquelles nous n'avons pas de précisions sur le cadeau reçu par La Ferté. On peut songer au tableau nocturne connu par une copie (n. 69): mais l'impossibilité de déchiffrer le dernier mot ("fumeur"? "Egyptienne"? l'original de l'inventaire semble malheureusement avoir brûlé durant la dernière guerre) empêche toute hypothèse solide.

A 8. UNE PARTIE DE CARTES.

h s

Signalé en 1894 comme "un grand tableau de La Tour, la partie de cartes" au château de Vigny (Val d'Oise), qui appartenait alors au Comte Vitalli (Alexis Martin, *Promenades et excursions dans les environs de Paris, Région du Nord*). Il s'agissait à coup sûr d'un tableau signé. L'assimilation avec le *Tricheur* du Louvre (n. 30), dont la provenance nous échappe, n'est pas impossible; mais on songerait encore plus volontiers à la *Tabagie* passée en vente à la fin du XVIIIᵉ siècle (n. A 7).

A 9. UNE TABAGIE.

h/t ca. 195×230

Décrit comme "signé La Tour" dans les deux catalogues de vente de la collection Le Roy de la Faudignère, "chirurgien dentiste de Mgr le Prince Palatin duc régnant des Deux-Ponts" (Paris, 1ᵉʳ mars 1782 et Paris, 8 janvier 1787). Le tableau comprenait "cinq figures, représentant des guerriers, dont deux jouant aux cartes, les autres fumant", figures "en pied et grandes comme nature". Sans doute l'un des plus importants tableaux de genre de La Tour (6 pieds sur 7). On n'en a retrouvé jusqu'ici nulle trace.

A 10. NUIT AVEC MUSICIENS.

h/t

Inventorié en 1675 à Paris, au Petit-Luxembourg, après le décès de la duchesse d'Aiguillon, nièce du Cardinal de Richelieu, comme "une nuit, peint sur toile, du nommé Latour, représentant une symphonie". Selon L. Boubli, qui a retrouvé cette mention (1983), le tableau pourrait avoir appartenu à Richelieu lui-même, et correspondre à une toile de même sujet inventoriée en 1643 dans son château de Rueil.

A 11. LE SOUFFLEUR (à la pipe).

s (?)

Signalé au début du XIXᵉ siècle chez un collectionneur de Cadix, don Sebastian Martinez, l'ami de Goya (cf. Comte de Maule, *Viaje de España, Francia et Italia*, Cadix, 1813, t. XIII, p. 40), et décrit comme "un homme soufflant sur un tison pour allumer une pipe, par Georges de La Tour". Le tableau devait donc être signé. Il a été jusqu'ici impossible d'en retrouver trace. Il s'agissait probablement de l'original du n. 58.

A 12. DAME AUX BIJOUX.

h/bois, ca. 35×27

Dans la collection Gerrit Schimmelpenninck, vendue à Amsterdam le 12 juillet 1819, sous le n° 57, se trouve la mention suivante: "G. de La Tour, hauteur 13 p. sur 10 p., sur bois. Une Dame en habit de satin blanc devant un miroir, sur la chaise pend une petite jaquette rouge avec de la fourrure. Derrière elle une négresse tient une cassette de bijoux. Ce petit tableau est d'un traitement des plus délicats et imite le pinceau de Van Mieris le vieux qu'il a rendu avec bonheur" (découvert par Mme de Roodenbeke; publié par P. Rosenberg, 1973). Tout est surprenant dans ce texte; mais il est impossible de le négliger, car à cette date la mention du nom et du prénom de La Tour, entièrement oubliés, repose nécessairement sur un document. Il est parfaitement possible que La Tour ait peint des tableaux profanes, et dans un goût précieux se situant entre Bellange et Deruet. On notera que les indications de couleurs s'accordent assez bien avec celles des tableaux diurnes du *Saint Jérôme* à la *Diseuse de bonne aventure*.

A 13. PAYSAGE VU AU CRÉPUSCULE.

h/t 145×93

Malgré son invraisemblance première, nous croyons nécessaire d'ajouter cette référence. Désigné aussi comme "marine" et attribué à Claude du Mesnil-la-Tour (*sic*) dans la collection du notaire Noël à Nancy (Catalogue de la collection, n. 5550, t. II, p. 729, Nancy, 1851; catalogue de la vente, Nancy, 25 nov. 1884, n. 4), le tableau n'a pas été retrouvé. L'attribution paraît simple rêverie d'érudit provincial; mais elle peut aussi — à cette date très précoce — reposer sur quelque indication matérielle (étiquette, inscription sur le chassis, ...); elle ne saurait donc, en bonne méthode, être définitivement écartée avant l'examen de l'œuvre même, qui a chance d'exister encore.

Autres œuvres attribuées

Un certain nombre d'œuvres ont par ailleurs été attribuées à Georges de La Tour: le lecteur les trouvera ici cataloguées sous la responsabilité des auteurs qui les ont publiées. Il s'agit en effet d'œuvres que l'auteur n'a pu étudier directement, ou dont l'attribution n'est appuyée pour l'instant ni par un document positif (dont l'apparition demeure toujours possible), ni par le consensus de la critique. Aussi a-t-on tenu, dans l'état actuel de nos connaissances sur l'artiste, à laisser la discussion ouverte. Cette liste ne prétend pas être exhaustive; on s'est borné à présenter quelques-unes des pièces parmi les plus intéressantes d'un dossier qu'ici encore l'auteur souhaite garder ouvert. Comme pour la liste précédente, les œuvres sont classées par sujet.

D 1. LE CHRIST DE DOULEUR. Chancelade (Dordogne), Eglise paroissiale.

h/t 136×94

Ce très beau tableau, découvert en 1942 par Froidevaux, aussitôt attribué à La Tour, publié comme tel par Jardot en 1945, a d'abord été unanimement accepté (Pariset, 1948). Toutefois l'absence de construction plastique compensait mal la qualité de l'émotion, et laissait place à quelque inquiétude, que vint confirmer la découverte en Italie d'un autre exemplaire, de qualité nettement plus faible, acquis par le Rijksmuseum en 1948. Dès 1950 l'œuvre est déclarée sans rapport direct avec La Tour par Bloch et par Blunt, suivis bientôt par Sterling (1951) et Pariset lui-même (1958). Malgré certaines persistances (Ottani Cavina, 1967), il semble que l'unanimité des historiens exclue désormais le nom du maître.

D 2. SAINT AMBROISE (dit à tort SAINT JEAN). ... (Suisse), Collection particulière.

h/t 103×85

Passé en vente à Lucerne le 2 mai 1934 sous attribution à Herrera (vente Fischer); signalé et reproduit par Pariset (1948, p. 229-230 et pl. 32.2) qui admet l'attribution à La Tour. Le tableau, qui ne nous est connu que par la photographie, est manifestement une copie, ce qui interdit tout jugement sûr. Pourtant la composition évoque l'art de La Tour vers l'époque du Saint Jérôme du Louvre (n. 21) et peut faire songer à un original perdu. B. Nicolson (1974) a mentionné dans une collection anglaise une suite des quatre Pères de l'Eglise, placée sous une attribution contestable à Ribera, et dont le *Saint Ambroise* offre une réplique de celui-ci: ce qui lui semble écarter définitivement l'attribution à La Tour. Il n'a malheureusement pas publié ces documents.

D 3. L'EXTASE DE SAINT FRANÇOIS. Paris (?), Collection particulière.

h/t

Publié par H. Voss en 1965 ("Pantheon", t. XXIII, p. 402-404) comme œuvre de La Tour, et mis en rapport avec le tableau de même sujet peint par le Caravage (Hartford, Wadsworth Atheneum), où le saint est peint dans une attitude voisine. Malgré l'illustre caution de l'érudit qui identifia La Tour, le tableau ne semble pas avoir été pris en considération par les spécialistes; à en juger d'après la photographie, les liens avec le peintre paraissent malaisés à définir.

D 4. ETUDE DE MOINE ASSIS. Paris, Collection particulière.

des 19,8×14

Publié en 1951 par Charles Sterling, qui a souligné les rapports avec la gravure dite *Les deux moines* (n. 33) et avec le tableau du Mans (n. 36). C'est le seul dessin qui ait été publié jusqu'ici avec une attribution à La Tour (voir pourtant *infra*, n. D 13). La similitude de sujet est évidente: mais il s'agit d'un thème fréquent à l'époque (Callot, peintres espagnols, etc.). Le style évoque tout naturellement ce cubisme dont on faisait jadis la caractéristique de La Tour. En revanche, il ne se rapproche en rien du graphisme aigu et souple que révèlent les tableaux diurnes, depuis la *Rixe* (n. 22) jusqu'au *Saint Jérôme pénitent* (n. 31). Surtout l'on peut se demander si La Tour n'a pas été fidèle aux procédés proprement caravagesques, et s'il ne fut pas — tel le Caravage, Valentin ou Le Nain — un de ces peintres qui semblent n'avoir jamais manié la plume ni la pierre noire. On s'étonnerait qu'un demi-siècle après la redécouverte de l'artiste aucune feuille sûre de sa main n'ait pu être identifiée (alors qu'ont réapparu, par exemple, tant de dessins de Bellange). Signalons toutefois que récemment Sir Anthony Blunt (1972) a de nouveau attiré l'attention sur ce dessin et rappelé que son attribution à La Tour "mérite une considération très attentive"

D 5. SAINT JÉRÔME EN PRIÈRE. Paris, Eglise Saint-Leu-Saint-Gilles.

h/t 91×121

Autrefois sous une attribution à Valentin. Présenté par Jacques Dupont en 1946 à l'Exposition des "Peintures méconnues des églises de Paris" comme peut-être copie d'une composition perdue de La Tour. Cette hypothèse s'est trouvée appuyée par le fait qu'une copie ancienne demeura accrochée à l'église Notre-Dame-de-Grâce de Honfleur en pendant à une copie du *Saint Sébastien à la lanterne* (cf. le n. 41). F.-G. Pariset continue à y voir (1948) une copie d'après La Tour. Blunt (1948 et 1950) comme Roberto Longhi (1950) refusent tout rapport direct avec le maître, et Nicolson attribue l'œuvre à Trophime Bigot (n. 19 du catalogue de Bigot, 1964). Il est certain que la composition ne renvoie pas à La Tour; mais le nom de Bigot reste lui-même incertain. Le style demeure très proche des premières œuvres de Honthorst.

D 6. SAINT JÉRÔME LISANT. ... (Etats-Unis), Collection particulière.

h/t 90,8×73,7

Exposé en 1946 à New York (Galerie Wildenstein, Cat. n. 18) comme une version plus tardive du tableau du Louvre (n. 21). Le sujet et la composition sont en effet voisins. Mais le style apparaît fort différent (refus des lignes droites, plis moins architecturés, etc.). F.-G. Pariset (1948, p. 226) hésitait à décider s'il s'agissait d'un original ou d'une réplique d'atelier, mais pensait que l'œuvre, en fin de compte, devait "reflét[er] les débuts de La Tour". C'est le rapport même avec Georges de La Tour qui semble devoir être aujourd'hui remis en cause.

D 7. LA MADELEINE PENITENTE.

h/t 96×82

Passée dans une vente à Lucerne en juin 1960 (Galerie Fischer). La nature morte à la veilleuse et l'emploi du clair-obscur évoquent de très près La Tour. La photographie, que nous connaissons seule, donne l'impression d'un fragment, soit d'original en partie repeint, soit de copie.

Or la composition d'ensemble nous est connue par une gravure de J.-B. Massard (1772-1808), qui l'indique comme gravée d'après G. Seghers. Le style de cette *Madeleine* s'accorde mal avec ce que nous savons de Seghers, et l'on doit seulement conclure de l'estampe que le tableau se trouvait en France à la fin du XVIIIe siècle. Nous inclinons à y voir une œuvre de La Tour librement interprétée par le graveur; mais les éléments réunis nous semblent encore insuffisants pour l'introduire dans son catalogue.

D 12

D 1

D 2

D 4

D 5

D 7

D 7 gravure

D 14

D 8

D 9

D 10

D 8. LE RENIEMENT DE SAINT PIERRE. Paris, Musée du Louvre.

h/t 94×152

Entré au Louvre par legs en 1870; catalogué comme Le Nain. Attribué à La Tour par Demonts en 1922, opinion que Voss récusa à juste titre dès 1928, mais qui, passée dans le catalogue Brière (1924), survécut quelque temps avant d'être unanimement rejetée.

D 9. LE RENIEMENT DE SAINT PIERRE. Tours, Musée des Beaux-Arts.

h/t

Considéré comme "Ecole de Georges de La Tour"; exclu à juste titre par F.-G. Pariset (1948); à notre sens n'a aucun rapport avec La Tour.

D 10. LE RENIEMENT DE SAINT PIERRE. Bordeaux, Musée des Beaux-Arts.

h/t 105×160

Parfois considéré comme de Georges de La Tour, mais sans rapports avec lui. Il en existe d'autres exemplaires, certains sans le soldat de droite.

D 11. LE RENIEMENT DE SAINT PIERRE. ... (Etats-Unis), Collection particulière.

Publié en 1962 par Ph. Bober dans "Art Journal" comme original signé "G. DELAT... MD...". Il s'agit en fait d'une copie très faible de la partie gauche du *Reniement de saint Pierre* de Seghers gravé par Bolswert, et le seul problème intéressant — pour la fortune critique de La Tour — serait de savoir si la fausse signature peut être antérieure à 1934.

D 12. L'ALCHIMISTE. Oxford, Ashmolean Museum.

h/t 70×88

Provient de la collection Percy Moore Turner. Attribué à La Tour par S.M.M. Furness (1949, p. 115 sq.), opinion qui n'a guère été suivie; elle fut rejetée par Blunt dès la même année, et le tableau est aujourd'hui généralement regardé comme de Trophime Bigot (n. 33 du catalogue de Nicolson, 1964, sous le titre plus exact de *Médecin examinant les urines*).

D 13. LE MONTREUR DE TOURS.

A fait partie de la collection André J. Seligman à Paris. Exposé en 1936 à la Galerie Manteau; étudié par Coutela (1937) qui analyse médicalement la déformation du visage (ectropion). Un dessin (31×26,5; pierre noire sur papier teinté, piqué à l'aiguille; cf. fig. 13ª) après avoir appartenu à la collection A. Beurdeley (6e vente, cat. n. 38), est passé en vente au Palais Galliera le 20 juin 1961 (Cat. n. 11). L'attribution à La Tour, jadis proposée, ne saurait plus se soutenir: cependant tableau et dessin, d'un réalisme impitoyable, mais non dépourvu de style, peuvent être d'une main française.

D 14. LE FUMEUR. Guéret, Musée municipal.

Au musée sous le nom de Georges Mesnil de La Tour. On connaît d'autres exemplaires de cette composition (cf. Pariset, 1948, pl. 9³). Son attribution est rejetée par Pariset qui préfère le nom de Coster. Le nom de La Tour semble en effet à exclure.

D 15. LE SOUFFLEUR (au chandelier). New London (Conn.), Lyman Alleyn Museum.

h/t 77,5×63,5

Acquis par le musée en 1969; proviendrait d'une collection parisienne; en 1940 sur le marché d'art new-yorkais; a figuré ensuite dans la collection Walter P. Chrysler Jr. (1954) sous

D 13

D 13 a

D 20

le nom de La Tour (avec certificat de Louis Réau et Walter Friedlaender), attribution conservée jusqu'ici. Il s'agit en fait d'une composition célèbre dont existent de nombreuses copies; l'original signé de Schalcken est conservé à Althorp House.

D 16. LE GARÇON A LA CHANDELLE. Dijon, Musée des Beaux-Arts.

h/t 61×53

Ce tableau provient de la collection Legouz de Saint-Seine qui fut confisquée à la Révolution en 1791. Anciennement sous une attribution à Honthorst. De nombreux autres

exemplaires sont connus. Pariset reproduit l'un (1948, pl. 37²) comme copie d'après un original perdu de La Tour. Nous croyons au contraire que la composition renvoie directement à un original de Heimbach et n'a pas de rapports directs avec le maître lorrain.

D 17. LE GARÇON A LA MANDOLINE. Dijon, Musée des Beaux-Arts.

h/t 61×53

Provient de la collection Legouz de Saint-Seine, comme le n. D 16. De nouveau la composition, sans rapport avec La Tour, renvoie sans doute à un original de Heimbach.

D 18. JEUNE CHANTEUR. San Francisco, California Palace of the Legion of Honor.

h/t 67×49,5

Sur le marché new-yorkais vers 1940; publié en 1946 comme Georges de La Tour, sur attribution de Walter Friedlaender, refusé dès 1951 par Charles Sterling, puis en 1958 par F.-G. Pariset. Attribué à l'école de La Tour par le musée. Le tableau est sans doute de Trophime Bigot (n. 40 du catalogue de B. Nicolson, 1964).

Il apparaît très proche de deux autres figures de chanteurs en buste conservées encore aujourd'hui dans la Galerie Doria-Pamphili à Rome, et pareillement données à Bigot (Nicolson 1964, n. 38 et 39).

D 19. HOMME ACCORDANT UN LUTH. ... (Etats-Unis), Collection particulière.

Exposé en 1946 à New York (Galerie Wildenstein, Cat. n. 21), avec l'indication: "copie d'après Georges de La Tour (?)". Cette hypothèse même ne semble pas avoir obtenu l'audience des spécialistes.

D 20. LE JOUEUR DE CORNET A LA CHANDELLE.

eau-forte, 13,5×11

Cette estampe, incomplète et sans lettre (mais on n'en a retrouvé à ce jour aucun autre exemplaire) a été publiée en 1972 par A. Ottani Cavina, qui l'a mise en relation directe avec La Tour. L'hypothèse a été favorablement accueillie (Rosenberg, 1973, 1976), parfois pourtant avec quelques réserves (Pariset, 1976). Les affinités avec La Tour sont évidentes; mais la composition n'offre aucun trait qui renvoie de façon décisive à l'artiste lui-même (mains, flamme, type de plis, coiffure, etc.), et il serait sans doute prématuré de l'introduire dans le catalogue.

D 15

D 16

D 17

D 18

Index
(originaux et copies)

Table des matières

*L'explication des signes conventionnels
placés en tête de chaque notice du catalogue est donnée page 82.*

Références photographiques

Planches en couleurs: Metropolitan Museum of Art, New York; Flammarion, Paris.
Illustrations en noir: Walter Steinkopf, Berlin; Photographie A. Danvers, Bordeaux;
Laboratoire des Musées royaux des Beaux-Arts de Belgique, Bruxelles; The Detroit
Institute of Arts, Detroit; Photo Rémy, Dijon; National Gallery of Ireland, Dublin;
Agis, Guéret; Wadsworth Atheneum (E. Irving Blomstrann), Hartford; William Rock-
hill Nelson Gallery of Art, Kansas City; Collection Heinz Kisters, Kreuzlingen;
A.C. Cooper, Londres; Witt Library, The Courtauld Institute of Arts, Londres; Photo
Gilbert Mangin, Nancy; Musée Historique Lorrain, Nancy; The Lyman Alleyn
Museum, New London; The Frick Collection, New York; Metropolitan Museum of
Art, New York; Archives Photographiques, Paris; Flammarion, Paris; Giraudon,
Paris; Lauros-Giraudon, Paris; Réunion des Musées nationaux, Paris; Ellebé,
Rouen; California Palace of the Legion of Honor, San Francisco; St. Louis Art
Museum, St. Louis.

*Imprimé en Italie, Rizzoli Editore S.p.A.
Milan, Via Angelo Rizzoli 2.*